ざんねんな日本のものづくり

ゼロからの知財戦略

日

Jap

JN068010

SOGO HOREI PUBLISHING CO., LTD

はじめに

若い方はご存じないかもしれませんが、一定以上の年齢の方ならば、『バック・トゥ・ザ・フューチャー』という映画シリーズをご存じだと思います。

時は1985年、科学者であるドクが開発したタイムマシン「デロリアン」の実験に立ち会った高校生の主人公マーティは、30年前の1955年にタイムスリップしてしまいます。そこで、若き日の両親に出会ったマーティは、母親であるロレインに惚れられてしまいます。このまま歴史が変わり、両親が結婚しないことになってしまえば、マーティはこの世に存在しないことになってしまう。何とか両親を引き合わせようと奮闘するマーティ……。

コメディ要素もありながら、息つく暇もないスピード感のある作品になっており、ファンの方も多いでしょう。

マーティがタイムスリップした1955年の米国は好景気の真っ盛り。その背景には、第二次世界大戦の終結とともに若年層の兵士が帰還し、結婚と出産が急増。「ベビーブーム」が到来したことにあります。高速自動車道路網の整備が急速に行われ、安くて高性能な自動車が販売されたこと、家電製品の発明と普及が進んだこと、さらに、ブレトン・ウッズ体制という米ドルを基軸とした固定為替相場制下の最中、戦争で大打撃を受けたヨーロッパへの輸出を強化したことにより、米国経済は非常に活性化し、1950年代には大好況となったのです。

そのころ、日本は昭和30年。「三種の神器」と言われた白黒テレビと冷蔵庫、洗濯機が高嶺の花とされていた時代であり、ようやく日本のものづくりの芽が出てきたころであると言えます。その時代は、当然、米国国内での日本製品の知名度などないに等しいものでした。

この映画には、様々な日本製品が登場します。

1985年を生きるマーティが身につけている時計はカシオ、愛車はトヨタ。そして、ドクが実験をする際に愛用していたストップウォッチはセイコーとシチズンです。

1980年代の日本はバブルの真っ只中。逆に、高インフレと高い失業率にあえぐ米国。この時代ではすでに、日本から安くて性能の良い自動車や工業製品が米国に出回っていたころです。米国国内において、米国車よりも日本車のほうが売れたことにより、貿易摩擦が起きていたことを印象に残っている人も多いことでしょう。

シリーズ第3作『バック・トゥ・ザ・フューチャー　PART3』に、印象的なシーンがあります。1955年にいるドクが、壊れてしまったデロリアンを見て言いました。「ああ、これは壊れるはずだ。こいつはメイド・イン・ジャパンだ」と。しかし、1985年の日本製品を知っているマーティはこう言い返します。「なに言ってんのドク？　良い物はみんな日本製だよ」と。

このドクのセリフは、１９５０年代の米国人の日本製品に対する一般的な考え方でした。ところが30年が経ち、１９８０年代にはその印象が、多機能で質が良く耐久性もある。そして、値段も手ごろであるという見方に変わったのです。

日本は〝ものづくり大国〟を自称し、その価値は世界中の人々にも認められてきました。確かに、海外に行けば、探さなくても日本車が走っていて、あらゆるところで日本メーカーの看板や広告を目にします。名目ＧＤＰ（国内総生産）のランキングは、米国・中国に続き世界第3位につけており、コロナの影響で先行が不透明ではあるものの、世界のものづくりを牽引《けんいん》していくべき存在であると言っても過言ではありません。メイド・イン・ジャパン製品の品質の高さを、我々日本人も頭のどこかで誇りに思っているのではないでしょうか。

そんな日本が、ものづくりにおいて実は「ガラパゴス化」しているなどと言ったら、信用してもらえるでしょうか？　そして、「ガラパゴス化」から抜け出すことができず、非常に非効率で「ざんねんな」ものづくりをする羽目になっていると言ったら？　けれどもそれは、まぎれもない事実なのです。

こうしたことから我々は、日本の「ざんねん」を回避するために、具体的にどのように動いていけばよいか提案し、日本全体の力を底上げする手助けができればと考えています。

第1章 ざんねんな日本の法律と規格

第2章

素晴らしくもざんねんな日本の伝統

第3章

技術力が高くもざんねんな日本のものづくり

第4章

日本の国力を底上げするルール作り

第5章

無形資産こそ財産 ルールを作って稼いでいく力をつける

〈編集協力〉和泉涼子
〈装丁〉木村　勉
〈本文デザイン・図表・ＤＴＰ〉横内俊彦
〈校正〉矢島規男

第1章

ざんねんな日本の法律と規格

社会規範（ルール）における標準 JISとISOの位置づけ

「法律」と「規格」を混同する場合があると思いますが、この2つは似ているようで、まるで異なります。

法律とは「従うべき決まり事」。国家権力による強制力の下、場合によっては罰則もあり、最終的な適合判断は司法によって行われます。一方、規格とは一般的に「安全性や互換性にかかわる性能や形、寸法などの判断基準となるもの」。従うかどうかは任意です。

法律は遵守することが必須ですが、規格は任意。しかし、任意だからといって遵守しなくてもよいというわけではなく、規格を活用することにより、産業製品を安全・便利に使うことが可能になるばかりでなく、統一化を図ることによって効率よく製品を生産することも可能となります。

さらに、法律は国民から委任された国会で決定され、基本的に強制力を持ちますが、その一方で規格とは、あるグループのステークホルダーの間の合意に基づいたルールのことです。日本では「規格＝standard」となっており、「standard」は通常は「標準（平均）」などと訳されますが、必ずしも「standard ＝ average」ではないのです。

ＪＩＳやＪＡＳとかＩＳＯといったワードを聞いたことがあると思います。いずれも、放置すれば多様化・複雑化・無秩序化してしまうモノやコトについて、「規格」を制定してこれを広範囲に「統一」することです。

それぞれ、ＪＩＳ（Japanese Industrial Standards＝日本産業規格）は、日本の産業製品に関する性能や測定法など、経済産業大臣などが定めた国家規格。ＪＡＳ（Japanese Agricultural Standard＝日本農林規格）は、日本の食品・農林水産分野において、農林水産大臣が定める国家規格。ＩＳＯ（International Organization for Standardization＝国際標準化機構）は、様々な国の製品やサービスに関して国際的に通用する規格を制定しています。

例えば、蛍光灯は日本のＪＩＳ規格によってその品質が標準化されており、色温度は高いものから順に「昼光色」「昼白色」「白色」「温白色」「電球色」などに分類され、照度も用途・目的に応じて推奨されている照明設計がlx《ルクス》という単位で表示されています。さらに、蛍光灯の寿命試験などもＪＩＳで規定されているので、どこのメーカーの蛍光灯を買っても、その表示が同じであれば、似たような色と明るさで、寿命も同じぐらいになります。

このように、あらゆるモノやコトには「規格」が存在しています。

JISやJASの場合、それぞれ法に基づき、認定標準作成機関の申し出などを受けて、主務大臣が規格を制定します。つまり、日本政府の管轄であるということです。

しかし、**この2つの「規格」は日本政府の管轄であるにもかかわらず、原案を作るのは各産業の民間企業**なのです。基本的には、民間企業で作成された原案を政府がオーソライズ（公認）して制定されることになります。ただ、一見すると民主的なこのやり方は、そのやり方自体に問題はないとしても、その結果物に対しては大きな問題を生じさせてしまうことがあります。このことによる問題は、どのようなものがあるのでしょうか。

すべての産業物は社会秩序の維持、生命の安全、環境の保全、消費者の保護等が念頭に置かれていなくてはならず、そのために強制力のある基準を設け、基準に合致しない場合は罰せられなければなりません。ただ、罰則というのはかなり重たいものですから、それを制定するためには膨大な労力が必要となります。

ご存じのように、日本の技術力は素晴らしいものがあります。技術は日進月歩で進捗《しんちょく》し、多種多様化しています。その**高度な技術力に対して、「規制」する側の日本政府の理解が追いついていない**。そのことが諸悪の根源となって大問題を引き起こしているのです。加えて、**技術基準を作成・維持するだけでも多大な時間とマンパワーが必要になる**ことがネックになってしまい、「規制」の導入をためらわせることになってしまうのです。

そこで、**政府が「規制」を作るためにやってのけているのは、すでに存在しているISOやJISなどの「規格」を「引用」する**ということです。一種の責任逃れです。

どういうことかというと、民間が原案を作る「規格」は、生産・取引・消費の円滑化や効率化の観点から定められていますが、規制する側がそれを採用するしないというのは、規制する側の任意となります。

そして、調達基準で採用された場合や、政府の「規制」「指針」において「引用」された場合には強制力が発生することになります。つまり、政府に引用された途端に、**「任意」であったはずの「規格」が一転して「規制対象」となってしまう**のです。

本来ならば、日本政府としては、民間企業が作った「規格」を何も考えずに通せばいいというものではありません。原案を作る民間企業側は自分たちの都合のいいように「規格」を作っている可能性もあるのだから、やはりそこには、日本国憲法に則った「判断」が必要となります。つまり、良い規格であれば採用するが、身勝手な規格なら通さないといったような適切かつ適正な判断が行われるべきものなのです。

それにもかかわらず、民間企業が作った「規格」を「規制」とのベストミックスとして、何も考えずにそのまま平気で採用することがある日本政府。それがまかり通るのであれば、なんともお粗末な在り方であると思いませんか。

規制で規格を採用することがおかしいと言っている訳ではありません。規制を実施する際には、政府と企業との役割分担を明確にしないまま、便利だからと言って、規制と規格を一緒に扱うことは考え直した方がいいと思います。次章以降でそれを説明しましょう。

日本の法律体系と欧米の法律体系

社会規範において「標準」を念頭に置くことは非常に重要なことですが、結局は日本の法律がまだそこまで追いついていません。

法律というのは、単体では「法令」と言われます。狭義の意味で言うと、「法」は法律（＝律）の本体で、「令」というのは法律に基づいた運用基準です。

歴史の授業で習ったように、「律」と「令」からなる律令制度とは奈良時代の「大宝律令」より続く法体系ですが、奈良時代といえば西暦700年代ですから、ざっと1200年も前の話ということになります。

1200年間も言葉遣いが変わっておらず、法律・法令という言い方をしていますが、その根幹は律令制度に由来しています。律令の「律」は刑罰についての規定、「令」は政治・経済など、今でいう行政法・商法・民法にあたる法律です。

日本では国の権力を立法・行政・司法に分立させる三権分立を採用していますが、「立法」は法律を定めることであり、「行政」は法律に追って政策を実行することです。そして「司法」で法律違反を罰する建立となっています。しかし実際は、「立法」だ「法律」だと言いながら、律令の令はすべて行政機関が決めているというのが実情です。

欧米の実態

前項では、日本では法律も規格も政府が管理しているにもかかわらず、規格原案は民間企業によって作成され、ほぼそのまま規制となってしまう（＝法律の一部になってしまう）こと、さらに、技術進捗の速さ、技術の多種多様化に法律（国自身が作成）がまったく追いついていないということを指摘しました。

では、欧米ではどうなっているのかというと、まず政府が規制を制定し、それに対して民間が規格を作っています。つまり、日本のやり方とは真逆なのです（まず民間が規制を作ってから政府が規制する場合や、規制ができてから後追いで規格ができる場合もあります）。

例えば、欧州では政府からの「電磁波を出してはダメ」という規制に基づいて、パソコンは使用者に電磁波の影響を与えてはいけないし、電磁波を出してはダメと決められています。また、これにより確実に電磁波を出していない、影響も受けないと証明するやり方は、規制で定めることなく、民間企業によって作られる規格に委ねられています。つまり、すべてはパソコンを製造した企業の責任となるのです。

政府の役目はあくまで規制することであって、規制に従う方式は民間の仕事というのが欧米のスタンスです。官民の役割分担がきちんとできているという点が日本とは大違いなのです。

また、**欧米は、「ルールは自分たちで作る」ことが当たり前になっており、自分たちのルールを国際ルールにするということを本能的にやっています。企業が責任を負っているため、先天的にルール作りが身についている**のです。

一方、日本の場合、それが民族性なのかどうかはわかりませんが、箸《はし》の上げ下げまで決めるかのように、政府が民間に細かく口出しします。ルール作りというものに対する取り組み方が、ものづくりに対する姿勢の違いとして顕著に出てしまっているのではないでしょうか。

ところで、イギリスはEU（欧州連合）を離脱しましたが、イギリスのスタンダードを制定している団体に確認してみたところ、「僕たちはEUとして統合する前から、スタンダードの世界で欧州各国に照準を合わせてきたから、EUに入ろうと入るまいと、仕事は変わらないよ」と笑っていました。スタンダードには、国境がないということです。国家には国境が存在しますが、企業活動にはそれが存在しないのです。

また、欧米諸国は、力を誇示して国際ルールを通すようなところはありますが、ルールを作る際、間違っても自国内でしか通用しないようなルールは作りません。しかし、**日本でルールを作るとき、優先されるのはまず国内です。国際的に通用するルールにしようということはまったく考えられておらず、そこで欧米に大きな差をつけられてしまっている**のです。

不器用貧乏な日本

技術というものは、年月を費やし研究されて磨かれていくものです。しかし、長年積み上げてきた様々な技術がどこにも活かされなかったり、ゼロから作り直したり、海外の製品にシェアを奪われてしまったりすることは、国家レベルで大きな損失となります。ましてや、国内向けと海外向けの仕様を作る、といったことは非効率極まりないことです。そんなことにならないよう、**本当に優れた技術については、どんどん外に発信していくべき**です。

日本の技術は、国際的に通用するものがたくさんあります。それらを国際ルールの中にしっかりと入れ込んでいかないと、本当に良いもの、有益なものが評価されないことになってしまいます。例えるなら、大学生の能力を中学校の基準で測っているとか、天才的な人を通常の教育の枠内に押し込めようとするようなものです。

秀でた人が受け入れられるようなルール作りを行っていかないと、その人がまったく活きてこないように、日本は自国が誇る製品を自分のルールの下のみで運用するということをやっていかなければなりません。本当に優れた技術ならば、全世界の人が享受すべきです。


巧みなものづくりを自任する日本は、当然**世界のスタンダードに合わせたルール作りをするべき**です。それに気が回らず、日本の事情だけで作ったものが海外で通用するわけがないと思いませんか？　あまりにも考え方が日本独自のものなら、海外で通用するためにすべてゼロからやり直さなければならないことになります。

非効率や無駄、無益を防ぐためにも、秀でていることを世界に説明する必要があるのです。つまり、**世界に自分の技術をわかりやすく説明して、世界のスタンダードとなるよう努めなければなりません。**

第2章

素晴らしくも ざんねんな日本の伝統

日本は、技術もさることながら、伝統もまた素晴らしいものが多くあります。その中には、海外に広く浸透しているものもあれば、国内で日本人向けの習い事程度にとどまっているものもあります。

第1章では、日本の高い技術を国際社会に理解してもらうには、国際的にもわかりやすいルールを日本側から提案していく必要があると述べました。

そのことを理解し、うまくルールを変えてグローバルに広まったものの典型が柔道です。一方、伝統を重んじるばかりに従来のやり方に固執し、日本国内で「ガラパゴス化」しているのが剣道ということになります。

グローバルなＪＵＤＯ、ドメスティックな剣道

柔道はオリンピック種目にもなっており、世界中に競技者が多い日本発祥の武道であることはご存じでしょう。

柔道には、日本古来の講道館柔道というものがあります。この講道館柔道の「講道館ルール」では、「心」「技」「体」つまり、心と技術と体の3つがすべてそろった美しいものでないと、勝敗を分ける「一本」の判定とはなりません。

日本古来のスポーツというのは、精神面の強さや所作の美しさが求められることが多く、その感覚は、我々日本人ならば本能的にわかるかもしれませんが、海外の

人に心・技・体を押し付けても理解されにくいということは、なんとなくおわかりいただけるでしょう。

一方、柔道の国際ルールである「ＩＪＦ（International Judo Federation＝国際柔道連盟）ルール」（以下、国際ルール）は、競技スポーツ化への対応として制定され、その後の改正を繰り返し、現在の国際大会で適用されているものです。

国際ルールでは、観衆へのわかりやすさが重視されるため、攻撃性が評価されます。消極的な姿勢に対してペナルティを科すなど、客観性に重きを置いています。したがって、一本を取るためには、背中と両肩と腰の部分が畳に着けばいいということになり、日本人的な勢いや形の美しさなどは考慮されません。

柔道が国際的になったことで、ルールを変えざるを得なかった部分はありますが、**伝統や日本的なものに捉われず、世界に理解されるよう柔軟に対応していった結果、競技人口も増え、これだけ世界に広まっていった**ということです。

例えば、サッカーやテニスなどはルールが世界共通でわかりやすいため、競技人口は多く、世界的に人気もあります。この2つのスポーツは日本でも人気があり、海外で活躍する選手も多く輩出する一方で、日本人の審判員の数は極端に少ないと思いませんか？　サッカーの国際試合では稀に日本の審判員を目にしますが、テニスに至っては国際審判員が5人のみで、グランドスラム（国際テニス連盟が定めた四大大会を指す総称）で活躍している審判員はゼロということです。

スポーツ選手というのはルールの下で強化されます。ルールを作る人、そしてそのルールを判定する人、これらの人材がいないと選手は育ちません。そして、これらを実践するためには、**ルールメイキングの際に、いかにイニシアチブを取るか**が、その分野の発展に非常に重要になります。こうしたことは、容易にご想像いただけるでしょう。

2000年に行われた、シドニーオリンピック柔道の〝世紀の誤審〟を覚えているでしょうか。

　男子柔道100キログラム超級の決勝戦。篠原信一選手の相手はフランスのダビド・ドゥイエ選手。強引な内股を仕掛けてきたドゥイエ選手を、篠原選手は内股で透かしました。副審のひとりは篠原選手の「内股透かし」の一本を宣言しましたが、主審ともうひとりの副審はドゥイエ選手の有効を取り、ドゥイエ選手がポイント先行となってしまいます。当時日本代表のコーチであった斉藤仁氏が、「一本！一本！」と猛抗議をするも試合は続行され、一度はポイントで並んだものの、終盤に有効を奪われた篠原選手は敗者となり、銀メダリストに甘んじることになったのです。

　技が洗練されすぎていて審判員も見抜けなかったわけですが、日本で行われた試合であったら、間違いなく篠原選手の一本勝ちの判定になっていたことでしょう。後に、当時の審判理事であったＩＪＦのジム・コジマ氏は「日本の言うとおりだと思う。ただ、試合は3人の審判が裁くもの。大変残念だと思う」と誤審を認めています。

外国人に心・技・体は伝わりにくい場合があります。だから、わかりやすい国際ルールを制定したところまではよかった。しかし、大切なことは、審判員・コーチ・役員の中で、ルールを共通理解に達するように指導していくことなのです。

現にこれまでも、寝技の攻防の際、回転したような動作に対して投技としてのポイントを与えるような場面が多くあったそうです。こういった審判技術の未熟さは、ルールを作った側の指導不足に起因すると考えられています。さらに、ポイントや一本の評価が乱れている現状は、一層わかりやすいルールを詳細に決めていくことが必要なのかもしれません。

柔道に水をあけられた剣道

柔道の国際展開の一方で、大きく水をあけられているのが剣道です。

日本国内では剣道も柔道と同じぐらい人気があります。それにもかかわらず、一方はオリンピック競技にまで上り詰め、もう一方はそこまで浸透している競技ではない。この差は、ルールメイキングにあると言えるでしょう。

剣道も心・技・体が重視されますが、一本の判定は、面に当たっていなくても、気合や体が十分であれば一本となります。スローモーションで見ても、明らかに当たっていなくても一本。「これが剣道というものなのだ」と言われてしまえばそれっきりで、それでは国際化は無理な話であるのはおわかりいただけるのではないでしょうか。

一応、剣道にも国際剣道連盟というものが存在し、加盟国も50カ国以上にのぼり、世界選手権も行われています。しかし、剣道の競技人口の7割を日本人が占めていると言われており、実際はそこまで国際化が進んでいない状況がうかがえます。

一方、柔道は競技人口が日本よりも多い国があるという事実を見ると、明らかに国際化が進んでおり、剣道との差を感じずにはいられません。

また、剣道では審判員に60歳を過ぎた方が多く活躍していますが、いくら熟練した審判員がいたとしても、コンマ何秒の素早さで繰り広げられる竹刀《しない》の振りを目視できるのか、少々疑問が残ります。

同じく剣を使う競技で、オリンピック競技にもなっているフェンシングは、騎士道から来る礼儀をベースとして、華麗なプレイや頭脳的な駆け引き、スピーディーな試合運びが魅力です。

フェンシングがこんなに広く受け入れられている理由のひとつとして、やはり、ルールの「わかりやすさ」が挙げられます。

フェンシングにはフルーレ、エペ、サーブルの3種目がありますが、初めて試合を見た人でも理解できるように、判定は電気審判機を駆使して行われています。

例えばフルーレの場合、選手は金属繊維製のジャケットを着用します。その金属部分（頭・両足・両腕を除いた胴体部分）が有効面となり、その有効面を相手に剣で突かれると、突いた選手側に「赤」または「緑」の色ランプが点灯し得点が入る仕組みになっていて、無効面を突くと、「白」のランプが点灯します。

エペの場合、「全身（頭から爪先）」のどこを突いても有効となり、色ランプが点灯して突いた選手に得点が入ります。サーブルは、選手の腰から上の部分と頭・両腕が有効面となり、判定には電気審判機が用いられるという形になっています。

これなら、どんな瞬間でも、どんな素人でも、判定は一目瞭然です。欧州の騎士道が理解できなくてもフェンシングを楽しむことができます。


剣道の防具は、日本の職人が作っています。海外に普及すれば防具の需要も多くなり、職人の雇用も守られ、コーチなどの人材派遣なども増え、日本にもたらす利益は非常に大きくなります。

フェンシングを見れば、剣道も同じような判定方法を取り入れることは可能であると推測できます。やり方を真似て、世界にアピールすればもっと広めることができたのではないでしょうか。

深めるだけの表千家、広めて深める裏千家

日本は文化的にも特異であると思います。世の中にはマニアックな人もいるため、その特異な部分を受け入れてくれる人も多いでしょう。しかし、日本文化を世界に広く受け入れてもらうためには、日本特有のわかりにくい部分をできるだけ薄めて、海外の方に受け入れられるよう変容していく選択をしていかなくてはならないときもあります。

茶道はいかにも日本的ですが、茶道を代表する流派の「表千家」と「裏千家」も海外で大きく知名度が違います。

茶道を確立した千利休。その千家の三代目宗旦《そうたん》の三男・宗左《そうさ》が本家の表千家を継ぎ、四男・宗室《そうしつ》が裏千家を興しました。つまり、表千家の方が格上です。しかし、裏千家の方が積極的に国際展開をしていることで、海外での知名度も高くなっています。日本文化を広めようという明確な目標があったため、細かな作法にこだわらなかったことが奏功したのでしょう。

茶道の作法は本当に細かく、一畳の長さを6歩で歩かないといけないという決まりがあります。江戸時代の日本人は現代人よりも背が低く短足なので、想像よりも歩幅が狭いのですが、右足から出して何歩目で釜の炉まで座る、というように全部決まっているのです。歩幅を細かくするという行為は、昔の家屋は現代と比べ揺れるため大股で歩かず静かに歩こう、というところから来ているのだと思います。

さらに正式な作法では、男性の場合、釜の蓋《ふた》は帛紗《ふくさ》を使わず、手でつまみを持って開けることになっています。なぜならば、武士は炊事や洗濯をやっていたので手の皮が厚く、熱い蓋もなんなく開けることができたからです。
現代の男性は必ずしも手の皮が厚いわけではないので、その辺りの作法を、従来のものにこだわらず、現代に適すように柔軟に変更していきました。細かなルールを厳密に守ることが茶道の本質ではなく、釜の蓋を開けておいしいお茶をいれることができれば、そのやり方にこだわる必要はないからです。

茶道が世界に広まれば、茶器や畳文化など日本の他の伝統も海外に普及していきます。そういった、広い観点から物事を考えていくことが非常に大切なことです。そのためには、中身も外見もすべて日本流でやろうとせず、裏千家のように海外に出て、とりあえず「茶道というのは、こういうものなんだ」と海外の人に経験してもらうことが世界に広がるきっかけとなるのです。

世界的な畳の需要は？
京間・江戸間・団地間

前項にて、茶道が世界に広まれば畳文化も広まるという話をしました。畳もまた、非常に日本的な考え方から離れることができていないもののひとつです。

畳の大きさには種類があることをご存じでしょうか。同じ6畳でもその種類により広さが違ってくるため、想像していた6畳より狭かったなどということが起こり得ます。

そもそも、部屋の大きさを○畳などと表現するのは日本特有のものなのに、その基準となる畳の大きさが違うということが、さらにわかりにくい原因だと思いませんか。

畳は大きく分けて、「京間」「江戸間」そして「団地間」の3種類があります。

京間は西日本で多く使われており、大きさは1・91メートル×0・955メートルで、6畳間の広さは10・94平方メートル。江戸間は関東地方で使用され、大きさは1・76メートル×0・878メートルで、6畳間の広さは9・27平方メートル。団地間は地域に関係なく、公団住宅・アパート・マンションなどの共同住宅で使用されています。大きさに一定の基準はなく、1・7メートル×0・85メートルのものが多く、6畳間の広さは8・67平方メートルとなっています。また、主に中京地方で使われる中京間もあります。大きさは1・82メートル×0・91メートルで、6畳の広さは9・93平方メートルです。

京間・江戸間および団地間の畳のサイズはＪＩＳで定められていますが、これだけの種類が乱立してしまっています（図2―1）。

日本の古来の畳は藁床《わらどこ》です。畳を持ち上げたことのある方はご存じだと思いますが、畳の藁はぐっと圧縮してあるため、一畳の重さが30キログラムにもなります。畳を維持していくことも大変で、交換するときや裏返しにするときは職人さんに依頼をしないといけないため、利便性に欠けると思っている方が大半でしょう。

ちなみにＪＩＳでは、藁床だけでなくポリスチレンフォーム断熱材で作られた建材畳床も活用しています。

図2-1　6畳の広さの違い

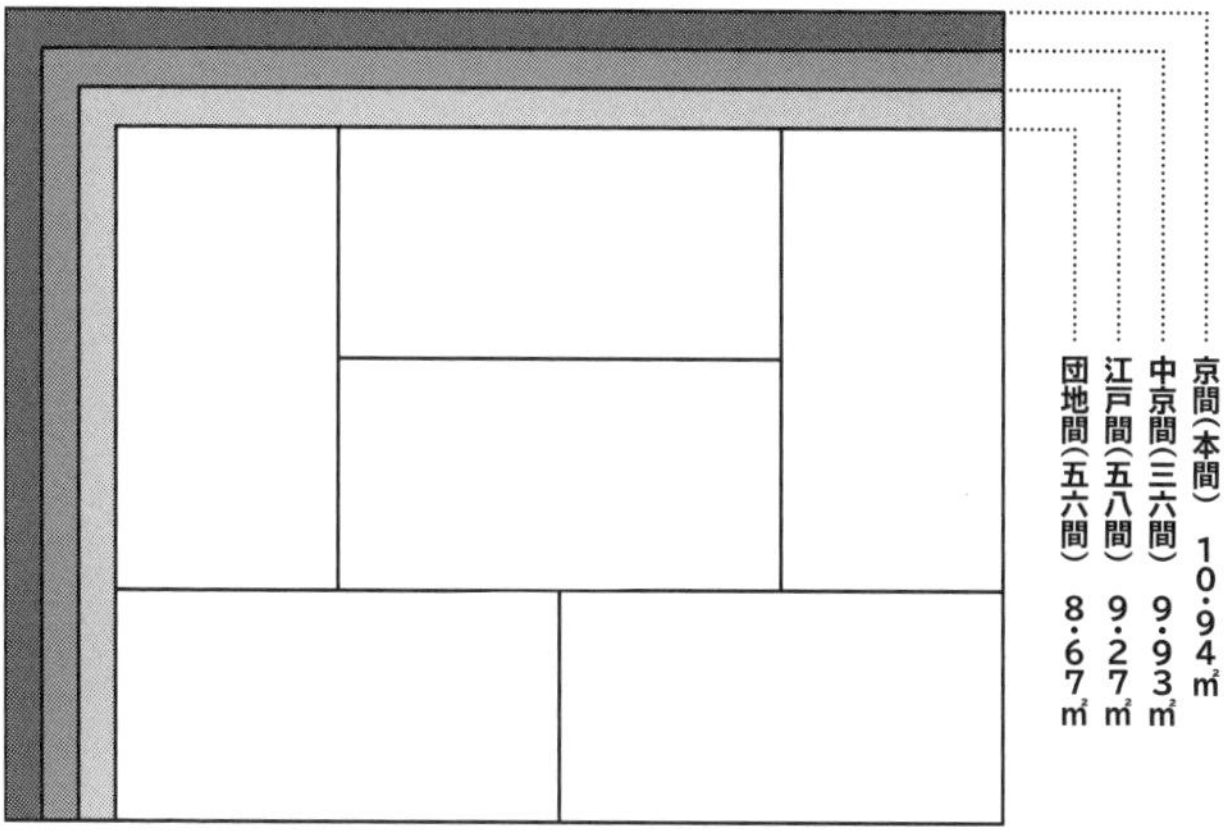

日本国内の家屋も欧米化が進んでいて、畳の需要もなくなってきているので、イ草の良さや畳文化を残すには、海外に展開していくか、畳製品を従来の形にこだわらずに変えていくしか方法はありません。本来の形の畳はお寺や茶室、道場などに使えばいいので、イグサを使った座布団などの「イ草グッズ」を展開していけばいいのではないでしょうか。

イ草の製品の評価方法などをきちんと制定すれば、世界に打って出ることができ、柔道や茶道などとセットで売り込むことも可能となります。文化というものはそうやって守っていくものなのです。

江戸時代を引きずるB４サイズ

オフィスワーカーならば、書類などを作成する際、当然のようにA４サイズを選んで作っていると思います。Ｗｏｒｄを開くと標準仕様でA４サイズになっているので、それが自然と標準となっているということです。

一般的に、オフィス等でコピー機に常設されている紙の大きさというのは、A４とA３、そしてB４。会社によってはA４の横を使ったり、B５を使ったりすることもあるでしょう。

ご存じのとおり、A判の紙は親和性があります。A3の長辺を二つ折りにすればA4サイズになります。しかし、B判はA判と相容れない関係で、B4を折ってもA4サイズと交わりません。

それもそのはず。A判は19世紀末にドイツの物理学者オストヴァルトによって提案されたもので、面積が1平方メートルの「ルート長方形」をA0としています。かつてはドイツの規格でしたが、現在ではISOの国際規格サイズとなっています。B判の祖先は、日本の江戸時代の美濃紙を元にしたものです。面積が1・5平方メートルの「ルート長方形」をB0としており、現在はJISで国内規格として採用されています。

日本の公官庁では、長きにわたってB判の使用を原則としてきました。しかし、1993年4月から行政文書のA判化を強力に推進し、1997年には行政文書のすべてをA判化しています。

なぜ変える気になったのかというと、ＦＡＸの登場が大きく関係しています。インターネットがなかった時代に、ＦＡＸは書類のやり取りに欠かせないものでした。ＦＡＸは国際製品なので、Ｂ判を使っていたらやり取りができません。海外にＢ判の紙は存在しないからです。

そこで、慌ててすべてをＡ４に変更していきました。しかし、これまでにファイルも本棚もすべてＢ判に合わせて作っていた日本社会は、莫大なスイッチング・コストをかけてＡ判に合わせていくことを余儀なくされました。それまで整えたものが、全部無駄になってしまったということです。

一方、米国やカナダ、メキシコなどではＡ４ではなく、「レターサイズ」と呼ばれる用紙が一般的なのはご存じでしょうか？

米国からEmailで送られてきた書類を、そのままＡ４で印刷しようとするとレイアウトが崩れる、そんな経験をしたことがある方もいるかもしれません。

レターサイズとA4のサイズを比べてみると、レターサイズは216ミリメートル×279ミリメートル、A4サイズは210ミリメートル×297ミリメートと、微妙に大きさが異なります（図2－2）。

A4はISO216で認定された国際規格サイズで、世界中に普及していますが、レターサイズは米国の標準化団体で認定されているローカルなサイズです。

図2-2　A4とレターサイズ

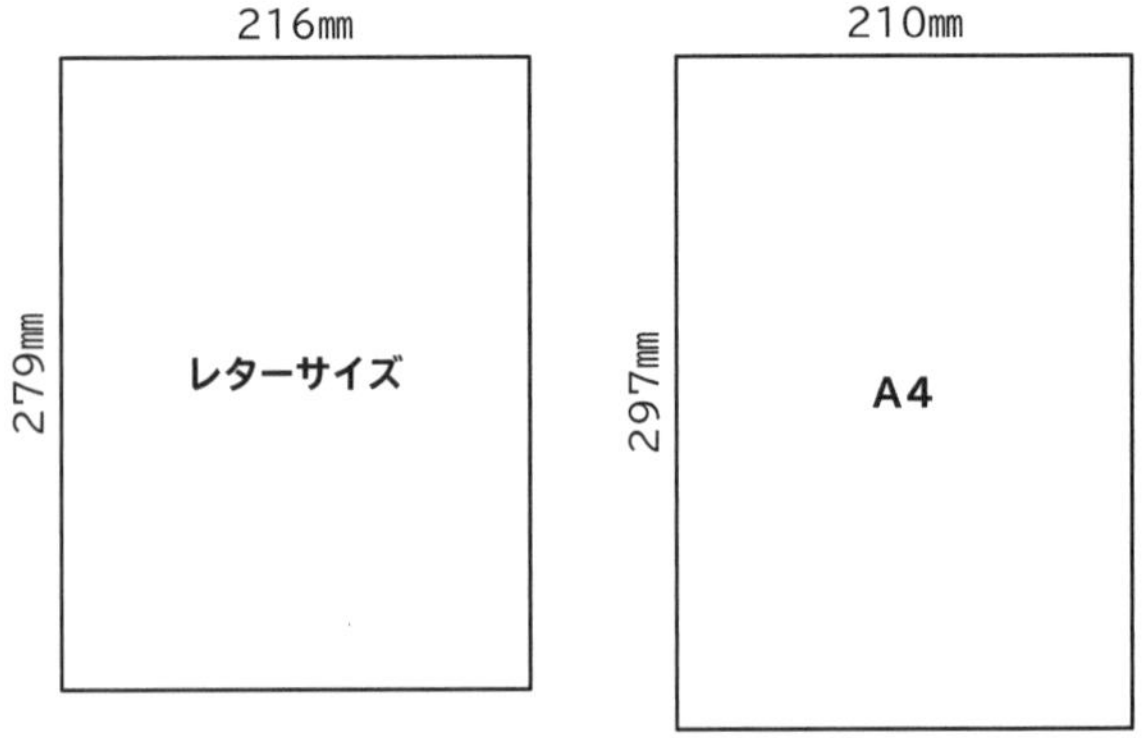

どんなにA4が世界で普及していようが、米国は「俺たちがスタンダードだ」と言わんばかりに堂々とレターサイズを国際提言してきます。

ただ自己主張するというのではなく、とりあえずやってみる、提案してみる。これが米国のやり方で、言われたことを「ハイ、喜んで」と受け入れるだけの日本と米国の差はここにあるのではないでしょうか。積極的な姿勢が国際社会では生きてくるのです。

温泉の心地よさが変わる？ JISとISOの温泉マーク

２０２０年に行われる予定だった東京オリンピック・パラリンピックに向けて、外国人にわかりやすい案内図を作るために、記号のＪＩＳ改正がありました。主に、温泉マークやコンビニエンスストアのマークなどを国際規格と整合した表示にしようというもので、そこでは、ＪＩＳが規定したマークとＩＳＯが規定したマークを両方提示し、どちらのマークを採用するか審議されたのです。

日本人におなじみの温泉マーク（図２－３下）は、湯船から湯気が3本出ているもので、ＪＩＳ規格となっています。実はこのマーク、ＩＳＯに国際提案したので

図2-3　温泉マーク

出典：経済産業省ウェブサイト（https://www.meti.go.jp/main/60sec/2017/20170203001.html）

すが、外国人から見るとホットプレートにしか見えないそうなのです。そこで、外国人にわかりやすいように、3人の人間が温泉に浸かった様子を表したもの（図2－3上）が追加されたという背景があります。

これに対し、温泉地や団体、旅館や温泉愛好家など日本国内では、「従来よりなじみの深いマークで、逆にそういうマークを国際的に普及することも必要なので、残しておいてもいいのではないか」という意見が多く集まりました。さらに、「日本の伝統をなくす気か」などという強固な反対意見もあったといいます。

結局は、「選択制でどちらのマークを使ってもよい」というところで落ち着きました。しかし、疑問に感じるのは「マークを変更することで、温泉の価値が変わるのだろうか」ということです。

大切なことは、海外から来た人たちに日本ならではの温泉文化の素晴らしさを伝え、足を運んで体験してもらうことです。「また日本へ温泉に入りに行きたいな」と思ってもらえるよう温泉ファンを増やすことが本来の目的なのです。温泉マークはあくまで媒体としての言語にすぎません。万人にわかりやすいものであれば、何でも構わないはずです。

それを「伝統」というものにとらわれ、変えることができないというのは、本質からずれていて、「ざんねん」の一言に尽きるのではないでしょうか。

パソコン充電器のあのマークについて

パソコンのACアダプターやノートパソコンの充電器をまじまじと見たことがあるでしょうか。ここに書いてあるマーク、実はすべて海外の認証機関のマークなのです。

単独で買う機会はあまりないかもしれませんが、故障などで充電器だけ買おうと思うと、意外と値段が高く、購入を躊躇《ちゅうちょ》してしまう人も多いかもしれません。

なぜ値段が高いのかというと、メーカー側がここに書かれてあるすべての認証機関に支払う認証料が、充電器の料金に上乗せされているからです。

例えば、CE（写真白枠内）と書かれているのはすべてのEU加盟国の安全基準を満たすものに貼付が義務付けられる基準適合マークです。

CEマークに関しては費用がかかりません。その他の®マークがついているようなものは、商標登録されているので使用料がかかります。

コストがかかるなら、表示しなきゃいいんじゃない？　と思うかもしれません。しかし、これらのマークは、公正・中立な第三者認証機関が、公正な立場から製品の安全性を客観的に評価し、安全性が確認された製品であることを表すものであり、その製品が各国の法令に適合していることを表しています。

海外市場へその製品を流通させるためのルールになるので、マークを貼らずに流通させた場合は、かかわった事業者が罰せられてしまうのです。

逆に言えば、これだけの認証機関が認めている安全性の高い製品である、という太鼓判であるとも言えますが、もののコストというのは、私たちの知らぬ間にこういった部分に課せられているのです。

第3章

技術力が高くも ざんねんな日本のものづくり

日本×日本＝韓国産のイチゴ

日本で暮らしていて心から思うことに、野菜や果物が本当においしくて、形も色ツヤも良いことが挙げられるのではないでしょうか。中国をはじめとしたアジア諸国でも、日本の果物のおいしさや品質が認められ、高額な値段で売られており、とても人気があるそうです。そんな高品質な日本の果物のブランド品種が、海外に流出していることをご存じでしょうか。

韓国のイチゴ市場の9割を占めるほど人気の品種「雪香《ソルヒャン》」というイチゴは、実は日本のイチゴ種である「章姫」と「レッドパール」をかけ合わせて開発され、韓国産として世界各国に輸出されています。

事の発端は、「レッドパール」を育成した日本人が、韓国の農業研究者と「レッドパール」の苗を5年間有料で栽培できる契約を交わしたことにあります。ところが、この農業研究者は承諾を得ず、無断で他の韓国人農家に苗を譲ってしまい、どんどん広がってしまったというわけです。

きっちりとルールを守ってもらえるよう、環境を整えていくべきであったとしか言いようがありませんが、その後、韓国人農家たちから使用料が払われることはなく、日本側の泣き寝入りとなってしまいました。当事者は「日本人のように良心的にやってくれると信じてしまった」と話しています。

蜂蜜のような甘さとねっとり食感が大人気！　蜂蜜サツマイモ

韓国に行ったことがある方は目にしたことがあるかもしれませんが、ソウルの繁華街「明洞《ミヨンドン》」には屋台が多く並んでおり、中には大きくて瑞々《みずみず》しいイチゴを使ったイチゴ大福が売られていたり、日本式の焼き芋が売られていたりします。

もともと韓国料理ではよくサツマイモが使われますが、伝統料理のサツマイモは天ぷらで食べたり、蜜で甘くして食べたりというのが一般的で、食べ方のレパートリーは多くありませんでした。

そんな韓国で、サツマイモの概念を変えた人気のサツマイモ品種があります。それが、「蜂蜜サツマイモ」と呼ばれている品種です。蜂蜜のような甘さとねっとりとした食感が甘くておいしいと評判で、ここ数年で一躍全国区となり、今では韓国で栽培されるサツマイモのうち、およそ4割を占めるほどになったといいます。

ところが、この品種、韓国では「蜂蜜サツマイモ」と呼ばれていますが、日本の品種である「紅はるか」とまったく同じ品種であることが判明しています。

紅はるかは日本で2010年に品種登録されたものでした。日本人の間でも非常に人気のある品種です。そんな紅はるかは、そもそも韓国に正式に輸出されたものではありません。では、なぜ韓国で栽培されているのでしょうか?

推測ですが、韓国の農業関係者などが日本に行ったときに買った種《たね》が持ち込まれものだと考えられています。本来ならば、日本から外国に植物類を輸出する際は、輸出検疫を実施する必要があるなど、勝手に持ち出すことはできません。それを、無断で持ち帰り、栽培し、売ってマネタイズ（収益化）してしまっている人がいるということです。

韓国政府はここ数年、イチゴやサツマイモなど、農産品の輸出に力を入れていて、韓国産の紅はるかもシンガポールや香港などに年間およそ300トン輸出されています。

許可なく韓国に持ち込まれた紅はるかが、農家の間で評判になり次々と広まってしまったという事実。最初に持ち込んだ人物は、どれだけ稼ぐことができたでしょうか。その金額は、本来であれば日本が稼ぐことができた金額であるとも言えますから、それはそのまま日本の損失でもあるのです。

凡ミスでシャインマスカットの権利を失う日本

シャインマスカットは、日本の農林水産省（以下、農水省）が30年もの年月をかけて開発したブドウの品種です。種もなく皮ごと食べることができ、非常に甘いのが特徴です。

そんなシャインマスカットは、２００６年に品種登録されました。めでたし、めでたしと思っていたら、そこは日本、やはりツメが甘かった。あろうことか、日本はシャインマスカットの海外品種登録を怠っていたのです。

海外で果物品種を登録するには、国内で登録してから6年以内に登録をしなければばならず、登録期限であった2012年を過ぎてしまいました。これは、外国からシャインマスカットに関するロイヤルティ（使用料）を徴収する権利を失ったことを意味します。

ここまでの話から想像して何が起きたのか。賢明な読者の皆さんはおわかりいただけると思いますが、ここで出てくるのが韓国、そして中国です。

韓国はシャインマスカットを勝手に国内に持ち込んでは生産し、流通を始めました。さらに、2020年からは「Korean Shine muscat」と称して、中国、香港、米国、ニュージーランドなど19カ国に輸出を開始。値段は日本の3分の1程度となっています。

では、どうして日本は海外品種登録をしなかったのでしょうか？　それは「当時は輸出を想定していなかった」と、ただそれだけの理由でした。要するに、農水省は日本国内にしか目を向けていなかったということです。
登録されていないので、韓国が生産しようが中国が販売しようが文句は言えません。今では、韓国産だけではなく中国産のシャインマスカットも生産され、それだけでなく、日本に韓国産や中国産の安価なシャインマスカットが輸入され販売されている始末です。

２０２０年７月に農水省は、中国と韓国で販売されている日本品種の種苗を調査しました。９月までに判明したことは、輸出重点品目７３７品目のうち36品種が、開発者の了解がないままインターネットで販売されていたという事実です。

これは、ただ収益化をし損ねたということだけが問題なのではありません。名称のみ真似たような質の悪い農産物が出回ると、日本品質のイメージが損われブランド価値が落ちてしまう恐れがあります。一度評判が悪くなれば、韓国・中国も途端に態度を変え「これは日本のものだ」などと言い出す可能性も否定できません。

今のところ、中国産シャインマスカットは値段が安いけれど味は劣ると言われており、韓国産は日本産と比べて味は劣るけれど中国産よりは良く、値段も日本産と中国産の中間ぐらいに設定されています。

2020年12月には、日本品種の農産物が無断で中国や韓国に流出することを防ぐため、種苗法が改正されました。

リンゴやミカンなどにも同じような事象が発生しているため、法改正は遅すぎるぐらいの対処です。優れている日本品種の果物は、日本の立派な資産であり稼ぎ頭です。今あるものを守るためにも、国内志向を改め、早急なルール作りが求められます。

キムチは誰のもの?

キムチと聞いて、思い浮かぶ国はどこでしょうか。
韓国料理屋に行くと、バンチャン（副菜）という形でキムチを提供されることが多く、韓国ドラマなどでも女性たちがキムチを仕込んでいる様子などを見ることが多いため、「韓国」を真っ先に思い浮かべる人も多いでしょう。

しかし今、「キムチの起源はどこの国なのか?」という論争が中国と韓国の間でヒートアップしていることをご存じでしょうか。

発端は2020年11月、中国四川省の塩漬け発酵野菜「泡菜《パオツァイ》」の製法や保存法のISO規格が制定されたことでした。制定されたことで、中国製の泡菜の信用が高まり、輸出などで有利に働く可能性があります。そのことの何が問題なのかというと、中国ではキムチも泡菜の一種とされるからです。

この論争を中国官営のタブロイド紙『環球時報』は「キムチ宗主国の韓国の屈辱」などと大々的に報じています。

2021年1月に入り、中国の張軍《ちょうぐん》国連大使がツイッターにエプロン姿でキムチを漬け込む写真をアップしたり、中国の人気ユーチューバーが「中国の伝統料理」と銘打ってキムチを漬ける映像を公開したりするなど、中国はキムチを中国の伝統食と主張するような動きを見せて、キムチの本家を自任する韓国側を挑発するような動きを始めました。これに対し、韓国の世論も「本場のキムチと泡菜は似て非なるものだ」などと猛反発しています。

キムチと泡菜、要するに韓国漬物なのか中国漬物なのかという違いですが、キムチは２００１年にすでに国際連合食糧農業機関（The Food and Agriculture Organization of the United Nations：FAO）に国際食品規格として認められています。中国はだいぶ遅れてＩＳＯに泡菜を国際規格として認定を求め、それが受け入れられることになりました。これが問題を複雑にしているのです。

そもそも**ＩＳＯというものは、民間がある意図を持って提案しているもの**です。なぜならば、「自分たちのルールこそが国際ルールです」と主張するために提案しているからで、この問題に関しては、中国は意図的にキムチを自分たちのものとして取り込もうとしていることになります。

韓国のキムチを承認したＦＡＯは国際機関で、中国の泡菜を承認したＩＳＯは民間の機関です。国際機関はグローバルな立場から食を守っていかなくてはなりませんが、民間機関の守備範囲は自由です。中国側からすれば、「僕たちが作った泡菜は国際規格ですよ」と主張してはどんどん輸出する。いくら韓国側が「こちらが本家本元です」と言っても、ビジネスの世界では強引に動いてどんどん進めていく者が強いに決まっていることがおわかりいただけるでしょう。

さらに、中国の『百度百科』(中国のオンライン百科事典)は「韓国キムチには3000年の歴史がある」という内容の項目を削除し、「キムチは三国時代に中国から伝来した」という内容に変更し、歴史さえも操作する荒業に出ています。

実際問題、日本国内で売られているキムチは多くがメイド・イン・チャイナです。ほとんど中国で作られているので、そういう意味では、起源がどこなのかよくわからなくなるというのが第三者の本音かもしれません。

本来ならば、「良いものは良い」とリスペクトすれば良いし、消費者側からすれば、おいしく健康に食べることができれば、どこが発祥の地なのかをわざわざ決める必要はありません。

本当のところはさておき、**しっかりとルールを作り、自分のところで主導権を握っているというアピールをしていくことで、国にもたらす利益が大きく変わってきます。日本はルールを受け入れる一方なので、自国の文化を守っていくためにも、能動的なルール作りや国際的な主張を繰り広げていくことが非常に重要**なことなのです。

この話には、裏話があります。実は、日本もＦＡＯにキムチを提案していましたが韓国に負けたのです。日本のキムチはあまりにもインスタントで、本物のキムチではないという理由でした。

インスタントというのは、ただ辛いだけできちんと熟成していないものであるという意味でした。スーパーマーケットなどで売っているキムチには「きちんと漬けています」と書かれていますが、実は単純にキムチの素のようなものを入れてかきまぜただけのものであると判断されてしまったのです。

中国はそんな韓国と日本の動きに一切合切関係なく、ひたすら国際提案を続けていたら通ってしまった。そんな中国に惨敗してしまった日本。要は、日本は真っ向勝負しすぎてしまったのです。

自国の象徴とも言えるキムチが奪われそうな今、日本から数々の果物をコピーしてきた韓国は、何を思っているのでしょうか。

JRは内向き、鉄道車両メーカーは国際展開

今さら言うまでもなく、日本の鉄道網の広さや正確さは素晴らしいものです。「世界に誇る」と言っても過言ではないでしょう。この素晴らしいシステムを、日本国内だけに留まらせず海外展開していければ、どれだけマネタイズできることかとお考えの方も多いでしょう。

現状を見てみると、鉄道車両メーカーである三菱重工や日立製作所などは車両を国際展開しています。しかし、実際に鉄道運行のノウハウを持っているJR自体は、新幹線の輸出はしていても、在来線は日本国内に留まっています。

日本のレールの幅には広軌《こうき》と狭軌《きょうき》があります。広軌はレール幅が広く新幹線に使われており、狭軌は狭いレール幅で在来線に使われています。

新幹線がなぜ世界に輸出できるかというと、レールの幅が国際標準になっているからです。つまり、「広軌」と特別扱いをされているレールの方が国際基準なのです。我々日本人は、どこか新幹線を特別に思っているフシがあります。「特別だからこそ輸出しているのだ」と勘違いしてしまうかもしれませんが、単純に、日本は新幹線しか輸出できないということです。

どうしてこうなってしまったのでしょうか。日本の鉄道建設に大いに関与していたのが大隈重信でした。彼がイギリスから鉄道輸入を検討した際、担当者から「日本のような川や山が多く平地が少ないところでは、南アフリカなどに敷設されている狭軌のレールが適当ですよ」と勧められたのです。

しかし狭軌を勧めた本当の理由には、同じ狭軌レールを採用していたインドの中古資材を購入して、新品として日本に販売し儲けようという担当者のたくらみが隠されていました。その後、担当者はクビになったものの、車両や機材はすでに新品として発注されており、日本最初の鉄道は狭軌にせざるを得なかったというわけです。大隈はその後、「日本の鉄道を狭軌にしたのは一生一代の不覚」と嘆いたとされていますが、現在もその「不覚」は踏襲され、生き残ってしまっています。

電車は狭軌にすると揺れたときに脱線しやすく、広軌にすると走行性能が安定するので、高速走行の電車を作りたければ広軌一択ということになります。だから、いくら日本の在来線の運行状態が優秀だとわかっていても、海外に鉄道車両を輸出できないというわけなのです。つまり、日本の鉄道自体が実はガラパゴス化していることを、ＪＲはひた隠しにしているという現実があるのです。日本国民は、自国の鉄道システムが優秀であると信じて疑わないため、まさか自分たちがガラパゴス化している中で生きているとは露にも思っていないのです。

日本は、ずっと国内のことだけを考えて生きてきました。しかし、狭い国土の日本では需要に限界があり、いつかは海外展開が視野に入ってきます。

しかし、三菱重工や川崎重工、日立製作所などがどれだけ技術力を持っていても、国際的に展開した瞬間に国際ルールというものが厳然として立ちはだかってきます。そして、それを乗り越えたくても、ＪＲや国交省など国内からの協力を得ることができず、なおかつ欧州の戦略にまんまとハメられてしまうため、なかなか発展させることが難しいという事情があるのです。

一方の「欧州の戦略」というのは、例えるならばこういうことです。

資格試験にも学校の入学試験にも言えることですが、何にでも一定の傾向がありま す。その傾向を把握して対策を練ることで初めて合格できたり、良い点が取れたりするものです。それと同じように、いざ日本が海外に鉄道車両を輸出するとなったときに、初めて海外のルールを聞かされ、そのルールに適合する車両を提供しなくてはいけないとなると、いくら技術力があっても、初めて見るルールに対応することはできず、試験に通ることができない。ある意味、奇襲とも言える手を欧州は使ってくるのです。

欧州は、日本とまともに戦ったら技術力で勝てない。また、国同士での対話となると争いに発展してしまうので、それは避けたい。そのため、民間同士での話に持っていく。民間同士の小競り合いならば、ただの子供のケンカで済みます。それゆえ、先に欧州側でルールを決めてしまって、そのルールについて民間で話し合うように持っていく。そして、日本がルールに見合うものを作れるよう悪戦苦闘している間に、技術で日本に追いつく。

技術で追いついた後は、欧州の認証機関で「審査してあげますよ」と日本側にやさしく声をかける。輸出したくてたまらない日本は、喜び勇んでお金を払って認証してもらう。

これが欧州の戦略です。つまり、日本側にお金を払わせ技術を提供させているのです。「鴨が葱《ねぎ》を背負《しょ》って来る」とはまさにこのことと言えるでしょう。

ちなみに、海外向けの鉄道車両を作っても、特に一部のＪＲは断固として協力してくれず、国土交通省（以下、国交省）も積極的ではありません。なぜなら、何度も言うように、本当に国内のことしか考えていないからで、自国の技術が貴重な資産であるということをまったく理解していないからです。

太らされて食べられる携帯技術

日本の電機メーカーは、元々は電電公社（現ＮＴＴ）系列か東京電力系列に分けられることをご存じでしょうか。ＮＴＴの傘下に日本電気があり富士通がある、そんな構造になっていました。そこを米国に目をつけられ、系列会社をすべて切られてしまった。日本企業の競争力を弱くすることが目的だったのです。

ＮＴＴや東京電力というのは、ビジネスの構造上、赤字になったら値上げをすればいい話であることはおわかりいただけると思います。携帯電話料金は高いと言われていますが、固定電話の料金も第二電電（現ＫＤＤＩ）ができるまでＮＴＴが独占状態で、その時代は市内通話が３分10円ぐらいはしたものです。公衆電話で東京から京都まで電話をすると、１分も経たないうちに１００円も取られるような感じでした。

ＮＴＴには潤沢な税金が投入されており、その余裕ある資金を使って研究をしていたため、技術は最先端でした。携帯端末技術の特許は、国内も海外も各開発メーカーが保有しています。しかし、日本ではＮＴＴがピラミッドの頂上にいるため、各メーカーもＮＴＴの指示どおりに作らなければならないという特殊な事情があります。御多分に洩《も》れず、国内のことしか考えていないＮＴＴの下で携帯端末を開発すると、どんなに優れた技術を持っていても、結局は日本人の観点で携帯端末を開発せざるを得ないということになります。

第５世代（以下、５Ｇ）通信網をめぐる米国と中国との覇権争いの行方はどうなることやらといった感じですが、こういったものの技術はすべて積み重ねのため、

3Gで勝てないのであれば、5Gで勝てるわけがありません。
米・中は、4Gの特許技術とその特許群を日本企業に作らせました。日本企業というのは本当に技術力が素晴らしいので、その4Gの特許を用いて新たな技術を積み上げていきました。さらに日本人はお人好しなので、特許を取るときにお金を出し、国際規格の認証を受ける際にもお金を出します。そこで4Gの技術が流出してすべて吸い上げられ、まるで太らされて食べられるアヒルのように、米国や中国が5Gの技術を開発するお手伝いをしてしまったのです。

我々日本人は、そんなことも知らずに、ガラケーからスマートフォンに代わり「便利になった」と単純に喜んでいます。考えてもみると、それまで我々の税金が充てられたガラケーの研究費というのは結局、全部吸い上げられていることになります。新しい携帯電話ができたと喜んでいるのはいいけれども、結局我々は米・中の手のひらで踊らされているだけなのです。

最初から無理があった国産ジェット機ＭＲＪ

２０２０年10月、三菱重工業傘下の三菱航空機が開発を進めている、国産初のジェット旅客機スペースジェット（旧ＭＲＪ）が事実上、事業をストップする形になりました。開発費を前年から半減させ、三菱航空機の国内従業員も半分に減らし、北米の開発拠点２カ所を閉鎖することが決まっています。

国産ジェット旅客機は経済産業省（以下、経産省）が推進する事業のひとつでした。経産省が事業者を募り、これに応じた三菱重工が２００８年から事業を本格化したもので、経産省も当初５００億円を支援し、延べ１兆円近い開発費がつぎ込まれてきました。
事業凍結の表向きの理由は、新型コロナウイルス（以下、コロナ）の流行による収益悪化や航空需要の減退が主な理由になっているようで、三菱重工業は「米国での型式証明（Type Certificate：TC）を取得できず、今後仮に90席クラスの認証を取っても、コロナの拡大で航空機需要が激減し、採算割れとなる」と説明しています。

米国では、座席数が最大88席まででなければ航空業界の労使協定を満たさないことになり、小型ジェット旅客機として認められません。それなのに、90席のジェット機を開発してしまい、慌てて70席の機体を最初から作り直すなど総合指揮の効率の悪さが経営を圧迫しました。コロナによる航空需要の減退にトドメを刺されたというのが大きな原因のひとつであることは明確ですが、この事業を成功させることは、最初から無理があったと言えます。

三菱重工は米国のＴＣが取れなかったことに言及しています。ＴＣとは航空機の開発時に必要な証明です。そして本国では、開発段階で設計や製造過程の検査を前もって行っておくことで、耐空証明検査で重複する部分の検査を省略できるようにする制度です。

どうして米国のＴＣが取れなかったのかというと、前出の労使協定を満たさなかったことに加え、三菱航空機が国際標準による設計を進めなかったこと、そして、審査する立場である国交省の経験不足などによる体制の不備、この3つに尽きると思います。なにせ、初めての国産ジェット旅客機です。審査する国交省も実務は初めてであったため、米当局に教えを乞い、手探りで着手しました。三菱航空機が開発に手間取りながら飛行試験を積み重ねても、国交省の審査はスムーズに進まない。それもそのはずで、元より国交省には米国で通用する審査能力などないのですから。

ＴＣは、航空機に関して日本よりも先を行く海外メーカーですら取得するのに5～10年はかかるといいます。そして、ＭＲＪを製品として国内外のエアラインに引き渡すには、その取得は絶対条件です。さらに、ＭＲＪの受注の大半は米国の航空会社が占めていたため、「米国でのＴＣ」は必須事項でした。

米当局は開発側の裁量を重視する傾向にあるため、安全性を証明する具体的な方法は定めていません。明確なマニュアルがないにもかかわらず、メーカー側は何度も設計変更を求められ苛立ちが募る、そんなことを繰り返していたのです。

そしてそこには、実は恐ろしい不平等条約がありました。米国政府と日本政府との間で相互承認方式を採用していたのです。片方が決めたルールは片方が受け入れる。しかし、日本に検査能力はないので、実際は米国から言われたことをひたすら受け入れるだけ。そして、実際に国交省がＭＲＪを検査しても、その審査結果が米国側に受け入れられることはないということなのです。

飛行機というのは、一度事故が起きたらおしまいですが、その根本の検査能力を国交省は持ち合わせていません。そこには日本特有のねじれが存在しています。飛行機を作る音頭を取るのは経産省、検査をするのは国交省と縦割り組織が邪魔をする。そして、その2つの省庁は協力し合ってMRJを成功させようとしているわけでもない。

そのことを考えると、MRJというのは絵に描いた餅であるのが一目瞭然です。コロナはきっかけに過ぎず、ある意味、三菱重工にとっては何度もやめようと思った事業に見切りをつける良い言い訳になったのではないでしょうか。

今はもう引退していますが、かつて日本は国産プロペラ機を独自に開発したことがありました。これまでの日本の飛行機の検査というのは、戦中の零戦ベースの小さな機体しか経験がありませんでした。

そのため、その国産プロペラ機の検査はすべて米国にやってもらったという経緯があります。ものづくりの観点からみれば、米国に検査をしてもらうことで、無駄な工程が追加されたということは否めません。零戦レベルの安全基準で、国際的に受け入れられるわけがないので、それは完全に審判が存在しないゲームでした。

審判員を海外の人材に任せ、作る一方の日本の産業形態というのは、「技術流失」の観点からすればどう見積もっても危うく、マイナスが多いということです。

走るまでは経済産業省、走り出したら国土交通省に警察庁、輸出は経済産業省

前項にて、国産ジェット旅客機事業の音頭を取ったのは経産省で、検査をするのは国交省であるという日本国内の「ねじれ」を指摘しました。

こういったねじれは何も航空機に限ったことではなく、日本のあらゆるものづくりの現場で起きていることです。日本の産業の要《かなめ》とでも言うべき自動車産業を例にとってみると、非常に面白い結果となりますのでご紹介しましょう。

自動車の所轄を考えたとき、真っ先に出てくるのはどこでしょうか。自動車を取りまとめているのはどこの省庁でしょう？

運転免許は警察署で更新、道路運送車両法で規制するのは警察。だから、警察でしょうか？　しかし、自動車の登録などを担う陸運局は国交省の機関、道路運送に関することも国交省が担当しています。では、国交省でしょうか？

答えは、どちらも正解です。もっと言うと、道路を走る前の作る段階では経産省の所掌《しょしょう》です。役割としては、自動車産業の発展のための自動車市場の活性化の施策、さらに、輸出に関することも経産省が担当しています。

近年は、エネルギー・環境規制の高まりを受けて、次世代自動車は環境性能に優れた自動車の普及促進施策に力を入れているので、環境省も絡んできます。また、自動走行車の関係で電波も絡んでくるため、総務省も一枚かむことになります。自動車ひとつとっても、こんなに色々な省庁が絡んでくる。複雑極まりないしがらみがあるのです。

国交省と経産省、警察庁に総務省、環境省……。全員が入ってきてそれぞれの立場から発言するので、何かを決めなければならないときでも何ひとつ決まらず、ただただ、自動車メーカーが振り回されるという構図が出来上がっているわけです。

これらの省庁は各々が所管する法律が異なるので、まったく情報共有をしていないと言っても過言ではないぐらい横のつながりを持っていません。そこで、自動車メーカー各社にも参加してもらい、経産省と国交省をはじめ、その他の省庁も共に発言できる場を作りました。

自動車は安全性が大切なので規制が重要になってきますが、結局のところ経産省と国交省がルールを作っています。しかし、その2つの省庁だけでは細かいことまで決めることができず、関係省庁の足並みの悪さを見れば効率の良いものづくりを進めていくためには、やはり、自動車メーカー側が民間を代表して積極的にルールを作っていくのが本来の姿であると言えるでしょう。

例えば、タイヤについては、現にタイヤメーカーがその大きさを決めています。日本自動車タイヤ協会という民間組織がありますが、国は一切絡んでいないにもかかわらず、何の問題もなくものづくりができていて、問題なく道路を走ることができています。実際、ブリヂストンやヨコハマタイヤのような会社がきちんと標準を決め、しっかりとしたものづくりをしてくれていれば、そこに国は必要ありません。そうすれば、余計な組織がひとつ関与しないで済むため、効率の良い経営ができるというわけです。

ちなみに、食品の世界でも似たようなことが繰り広げられています。

食品の安全は厚生労働省、食品の品質は農水省の下で管理されています。しかし、食品の製造機械となると、今度は経産省の名前が出てくるといった構図です。このようなねじれはどの産業でも起こっていて、ものづくりの大きな支障となっていることは否めません。

あなたの属している組織でも昔からの慣習で、あちらにお伺いを立ててこちらにお伺いを立て了承を得なくてはいけないけれど、利害が一致せず一向に前に進まない。そんなことが起きているのではないでしょうか。

だったら、無駄な部分は無視して、自分たちの仕事がスムーズに行く方向にだけ話をすれば効率良く仕事を進めることができます。それは、耳の痛いことを言ってくる人を排除するためではなく、変な気を使ったり、因習にとらわれたりして生産性の悪いことをするのはもったいないということが言いたいのです。

結局、自分の商品のことを一番理解しているのはメーカー側です。そうであれば、ルール作りはボトムアップ方式でやっていった方がはるかに効率的であると言えます。国は何もわかっていないし、できることが限られているので、どんどん提案していく方が得策なのではないでしょうか。国も会社も産業も、小さなところから起こる行動が作っていくのです。

ルールは欧州で作られる自動車産業

日本を代表する製造業といえば、自動車産業が挙げられます。さすがにこの分野では、日本が世界でイニシアチブを取ってルールメイキングをしていると想像されるかもしれません。しかし、残念ながらそうではありません。

ＩＳＯの自動車関連のルールを決める委員会のチェアマンは、ドイツやイタリアなど欧州の国ばかりが名を連ねていて、米国も負けていません。

言い方は悪いですが、日本よりもいい加減な国が躍起になってチェアマンの座を決して譲ろうとしない。これが当たり前になっています。なぜかというと、彼らはルールメイキングの大切さをよくわかっているからです。

しかし、例外もあります。日本は自動車部品も強いですが、中でも最大手のデンソーはルールメイキングに入り込むことができています。また、自動二輪ではホンダが活躍しています。それらが数少ない成功例と言えます。自動車のデータコミュニケーションや、動力伝達などその他の分野はほとんどイタリアに牛耳られています。

米国はエルゴノミックス（人間工学）に強いことで知られています。大所帯の軍を抱えているため研究が進んでおり、空軍のパイロットや陸軍の運転手がいたずらに疲労しないように、座席の座りやすさなどを追求しており、日本には太刀打ちできないような深い研究がなされているので、どうあがいても日本企業はこの中ではチェアマンにはなれないというわけです。

問題意識を持ってもらいたいのは、日本は端《はな》から「発言しようと思っていない」ということです。そして、「誰かが決めてくれたルールに乗っかればいいか」という考え方をしている点です。

自動車というのは、結局はブランドと信頼性です。単純に自動車としての工学を考えれば日本はトップクラスであるので、安全性も信頼性も抜群です。しかし、**どんなに日本の自動車産業が素晴らしく見えても、実は海外のルールメイキングに従って作られている、砂上の楼閣のような産業**なのです。

自動車鋼板を担っている鉄鋼会社も、コストパフォーマンスで勝つことができず、ボリュームゾーンはすでに中国や韓国に取られています。そこで日本としては、イノベーションをして特殊鋼で稼いでいく道しかないのですが、自動車産業が衰退したら、特殊鋼をメインとした鉄鋼業は間違いなく衰退していってしまいます。関連会社の多いこの2つの**産業が衰退するということは、単純に雇用の問題だけではなく、日本全体の国力にもかかわってくる**ということです。

このことをようやく問題視し始めたトヨタは水面下で、ある分野で国際提案しようと動き始めました。ようやくルールメイキングの重要さに気がつき始めたということでしょう。

成長分野を牽引せよ！　世界的なビッグビジネス「e スポーツ」

新たな分野として、世界各国で盛り上がりを見せている「e スポーツ」（electronic sports）は、日本国内においても流行しつつあり、国内のコンテンツ市場においても今後の成長分野として期待されています。

海外の e スポーツ大会は、各主催者が独自のルールを構築して開催されており、国際的に統一されたルールの形成には至っていないのが現状です。

そんな e スポーツの国際標準化を、ドイツが中心になって形成する動きがあります。しかし、内容を見てみると、開催されるのはすべて欧州に有利な時間帯になっており、欧州の朝時間と夕方時間にプレイするように設定されているのです。日本にとっては、欧州の朝時間は夕方なのでギリギリ対応できますが、夕方時間は日本の深夜となります。ドイツ側としては、各国に配慮しているように見せていますが、欧州が有利になるように進めているのは明らかです。

経済産業省は 2020 年 7 月、「令和 2 年度産業標準化推進事業委託費（戦略的国際標準化加速事業：ルール形成戦略に係る調査研究（e スポーツに係る競技大会の信頼性確保））」と銘打って、e スポーツ競技大会の国際ルール形成を実行する上での全体戦略策定に取り組むこととしました。

具体的には、公平・公正な競技性の確保に関する通信環境などの基準についての諸外国における動向調査、主要国などにおけるルール形成への関心度合いやその内容等の調査分析、ルール形成の決定プロセス、仕組み等の情報の調査分析、これらを進め、公正な大会の開催を実現する基盤を整えることで、市場規模の拡大や活性化を目指すものです。

日本における e スポーツの市場は、海外と比べてもまだ規模が小さいですが、ゲーム市場の大きさを見ると成長の余地は大きく、そのポテンシャルは非常に高いと言えます。

「スポーツ」という観点から見ると、他のスポーツよりは年齢も性別も問わず参加できることが魅力のひとつでもあり、他産業とのコラボレーションなども期待できることから、その裾野の広がりは計り知れません。

日本がどこまで国際的なルール形成に食い込んでいけるか、というところも見ものですが、e スポーツがどのように成長していくのか、どんな展開を見せるのか、目が離せない状況になっています。

第4章

日本の国力を底上げするルール作り

GAFAは「事実上の規格」際立った強者だけが許される地位

BRICs《ブリックス》（＝ブラジル・ロシア・インド・中国・南アフリカ。2000年代以降に大きく経済発展を遂げた5カ国の総称）やGAFA《ガーファ》などの言葉が誕生するたびに、うまく名づけるものだなと感心してしまいます。こういったことを考え、発信していくことも、標準化の一種なのかもしれません。

ご存じのとおり、GAFAとは「Google」「Apple」「Facebook」「Amazon」の頭文字を集めた呼称ですが、ここに「Microsoft」の「M」を加えた「GAFMA《ガファマ》」の話をさせていただく方が実情に見合うと思います。

検索エンジンといえばGoogle、スマートフォンといえばAppleの「iPhone」、デスクトップパソコンのOSといえばMicrosoftの「Windows」がトップシェア、次点でAppleの「Mac OS」というように、当たり前のように選ばれているのがGAFMAです。

これらは偶然のブームではなく、企業間競争やそれに伴う巧妙な企業戦略により、必然的に人気が出た商品・サービスであると言えます。これだけシェアがあるので、他社もGAFMAの標準に合わせて開発を進めざるを得ないという状況です。

このように、ある企業内で使われている標準規格が、事実上の業界標準になったものを**「デファクト・スタンダード」**と言います。ISOやJISといった標準化機関が定めた規格ではなく、市場において広く採用されたことにより、結果的に業界の標準規格として浸透している例です。

反対に、ＩＳＯやＪＩＳなどの標準化機関などが定めた標準規格を**「デジュール・スタンダード」**と呼びます。「デジュール・スタンダード」は基準を普及・浸透させるために作成されますが、「デファクト・スタンダード」はすでに自分たちの市場でルールが確立されているため、国際的に普及させる必要がありません。「デファクト・スタンダード」は、基準となった企業が持つ特許なども含めた規格です。だからといって、すでに業界標準に達している段階で「特許を持つ技術を他社に使わせない」という行動を起こすと、独占禁止法に問われる可能性があります。

そこで**企業は「標準」という公的な器を作り、特許をはじめとする知的財産（以下、知財）なども盛り込むことで、社内外を問わず市場で広く納得されるルール作りをしている**のです。その際、**他社にも広く開放する特許（標準必須特許）と、自分たちだけが独占する特許をうまく使い分けています。**自分たちの技術や製品に絶対的な自信を持っている以上、本来であれば「標準化」をせず独占したいというのが本音でしょう。だからこそ、独占禁止法に対し自社の規格を国際標準化させることでリスクヘッジをしているのです。実際、**デファクト・スタンダードとして普及したものについて、後からISO化する動きもあります。**

標準化は産業の発展に欠かせません。国際基準に則って広く展開していくものもあれば、意図を持って日本国内独自の基準にこだわり、その製法や形状を守り抜くことでブランド価値を高めているものもあります。

以前、日本ではジャストシステムの日本語ワープロソフトである「一太郎」が圧倒的なシェアを占めていました。漢字変換という面では、日本独自のソフトを使う方が利便性は高かったのは事実です。しかし、ジャストシステムはOSがWindowsに移行していた過渡期、日本語フォントの扱いが弱かったWindowsを軽視してしまい、Windowsへの対応には後れが生じることになってしまいました。そして、その後Windowsは爆発的に普及し、そのまま立場を失ってしまったのです。

世間的に携帯電話は、iPhone派とAndroid派に二分されており、それぞれの充電コネクタは互換性がありません。しかし、例えばiPhoneを持っていて、iPadも使っている場合、充電器も共通のものなので、携帯もタブレット端末充電も可能となり、ユーザーからすればその充電コネクタは手放すことができない貴重な品となります。しかし、その充電コネクタですが、実は標準化されていません。

ちなみに、iPhoneやiPadのコネクタである「ライトニングコネクタ」は、Appleが意匠権《いしょうけん》を取得しており、同じまたは似ている形状のコネクタを製造・販売すると、意匠権の侵害となります。

意匠権とは、簡単に言ってしまえば、車や家電製品など工業上利用できる製品の「ものの形のデザイン」を守る権利です。ものには必ず形があり、似たようなデザインのものが存在した場合、間違えて意図しない方を購入してしまうこともあるので、特徴的なデザインを意匠権で守っています。

デザインに関しては、意匠権を取るというところまでは通常措置かもしれません。

しかし、このライトニングコネクタについては「広告紙」に関するデザインの意匠権も取得しています。これは、そのコネクタの画像を広告紙に掲載したり、その広告紙を頒布したりする行為も違法となってしまうのです。

したがって、ライトニングコネクタを製造できるのは、原則としてAppleに限られることになり、第三者が製造・販売するためには、Appleからライセンスを受け、ロイヤルティを支払わなければならないということになります。

様々なデバイスをApple製品で統一すれば、とても利便性が高くなります。しかし、Apple以外の製品との相性は決して良いとは言えず、結局ユーザーは、Appleの高額な純正品を買うしかないという状態になるのです。

そこまでして、自分たちのデファクト・スタンダードを築き、守っていく。GAFMAはすでに事実上の標準になっており、際立った強者だけが許される地位に立っているのです。

技術力強化に熱心な政府と企業

新たな産業の発展のためには、いち早く国内外の市場を獲得していくことが重要です。そのためには技術力の強化を進めていくことはもちろんですが、ＭＲＪのように技術だけ高くても環境整備の後れによって中断せざるを得ないということは避けなければなりません。欧米では法制度や金融システム、インフラ面でも民間企業が参入を容易にする環境が整いやすいこともあり、民間主導で産業が発展していきます。しかし日本では、政府と民間が一体となって技術力を強化していくことに熱心で、環境整備は後手に回ってしまうことも多々あります。ただ、開発の段階から世界中に普及させることを目標としてスタートし、形になっている例もあります。

国際標準化で日本が先行！電気自動車の急速充電規格 CHAdeMO

２０２０年12月、経産省が２０３０年代半ばまでに国内の新車からガソリン車をなくし、すべてを電気自動車にする目標を設ける方向で調整していることが判明しました。約15年後にはガソリンエンジンだけの新車販売をゼロにし、すべてを電気自動車にすることを目指すことになるということです。

電気自動車の走行を実現させるためには、車載走行用バッテリーの充電のための設備が整っている必要があり、電気自動車の新車販売の普及のためには充電インフラを整えなければなりません。そのため、政府は補助金等により電気自動車の普及や充電設備の設置を支援しています。

このように、これから普及が加速していくであろう電動自動車ですが、その充電ソケットは、当初、日本が推進している「急速充電方式」において一本化できず、「欧米タイプ」「中国タイプ」「日本タイプ」が乱立していました。

ドイツが提案して欧米が採用する欧州タイプは「ＣＣＳ（The Combined Charging System）」。そして、中国の国家規格にもなっている方式は「GB/T（中華人民共和国国家標準推奨）」と呼ばれています。

日産自動車と東京電力が中心となり、日本が提案した充電方式は「CHAdeMO」。「CHArge de MOve＝動く・進むためのチャージ」「de＝電気」「クルマの充電中にお茶でも」の３つの意味を含んでおり、開発の段階から世界中に普及させることを目標にしてスタートしました。CHAdeMO規格は、２０１４年４月開催のＩＥＣ（国際電気標準会議）にて、他方式とともに国際標準として承認され、世界各地で実用化が進んでいます。

日本が国際標準化で欧米に先行することはほとんどありません。先手を取られるばかりであったこれまでの日本の傾向からすれば、欧米諸国から後れを取らずに国際標準の承認を得たのは大手柄だったのではないかと思います。しかし、日本国内の同業他社からは、CHAdeMOで一本化できなかったことによる不満が出ているようです。

ドイツ国内のチャージング・ステーションでは、欧米方式のCCSとCHAdeMOが並列して設置されています。もし国際標準の承認を得ることができなかったら、そんな光景を見ることもできなかったはずです。**オンリーワンになることは難しくても、とにかく食い込んでいき日本式をゼロにしない。それが、今の日本に必要な姿勢**なのではないでしょうか。

電気自動車が本格的に普及し始めたのは2010年代に入ってからで、比較的新しい分野であると言えます。充電方法についても、あらかじめ国際的な協議を重ねていてもおかしくないはずですが、どうして充電ソケットの形状がバラバラになってしまったのでしょうか。

欧米諸国としては、これまで何でもかんでも自分たちで決めてきたことを、今さら日本に口出しされたくない。しかし、これまでおとなしくしていた日本も、これ以上黙っているわけにもいかない。そんな各国の立場が対立を生みました。

いくら日本の技術力が高くても、欧米のメーカーを敵に回してしまうと、完全に形勢不利となります。そんな日本に助け舟を出したのが、なんとあの中国でした。日中共同で高出力充電規格を開発することが発表されたのです。

そもそもの経緯は、2018年に中国側が次世代「GB/T」を開発していくにあたり、「世界の自動車ユーザーの利益を考えれば規格は統一されるほうがよい」という理念のもと、日本（CHAdeMO）とドイツ（CCS）に共同開発を呼びかけたのが始まりでした。ドイツはいまだにこの提案を受け入れていませんが、日本は急速充電規格の世界統一に賛同し、中国と共同開発を進めることを決定しました。
　これで、世界の規格統一に向けて中国が味方となり、インドをはじめとするアジア各国にも、日本と中国の共同規格が広がっていくであろうと予測できます。今や世界一の自動車大国となった中国と日本が手を組むことの意味は大きく、日本と中国のアジア連合で、世界を動かすことも不可能ではありません。

　PwC Japanのレポート「自動車の将来動向：EVが今後の主流になりうるのか」によると、世界の新車販売台数の現状と新興国の台数予想は、2019年の時点で欧州は2200万台、米国は1800万台で飽和状態に陥っており、日本に至っては、現状500万台から今後は減少傾向となっています。
　一方、中国の電気自動車販売台数は、2040年までに5600万台まで増加するとされており、さらにインドでは、2040年までに3900万台まで増加すると予測されています。車両1台につき充電スタンドが1基必要だと計算すると、今後の充電スタンドの伸びしろは計り知れません。

とはいえ、どの規格を採用するかは各自動車メーカーが決めることで、すなわち、多くの自動車メーカーが採用した方式が生き残ることになります。いかに多くのCHAdeMOを搭載した電気自動車をユーザーに届けられるかが鍵となるわけです。アジア経済圏を手中にしている日中連合が有利に見えますが、欧米連合のこれまでの経験と実力も侮《あなど》ることはできません。

ボルボ・カーは2021年3月初旬に、2030年までに新車販売のすべてを電気自動車にすると発表しました。環境問題に関心の高い欧州のメーカーを皮切りに、欧米のメーカーが一気に電気自動車製造にシフトする流れになった場合、日系メーカーの優位性が揺らぐ可能性があります。

日本では、「標準化」とは各社で共用するための単なる統一基準であると考えがちです。それゆえ、これまでの日本企業は、国際標準化が決まってから合致するものを製造すればよいという考え方でものづくりを進めることが多く、欧米にすべて決めてもらうという姿勢でいました。

しかし、**欧米で標準化は重要な戦略のひとつであり、主導権争いの手段として捉えられています。つまり、欧米にとっては日本からの標準化提案は非常に都合が悪く、優位なポジションを奪われるのではないかという懸念を抱いたはず**です。

日本の技術が世界一！
汎用性の高い生体認証

2001年9月11日に起きた米国同時多発テロ以降、米国が国境警備の強化の動きを進め、より厳格な出入国管理が行われることになりました。具体的には、生体認証情報をＩＣチップに埋め込んだ電子パスポートでの発給が急がれることになり、その標準化も急速に進んだのです。

米国に旅行をしたことがある方はご存じかと思いますが、入国する際は顔画像を撮影し、10本の指の指紋情報の読み取りを行わなくてはなりません。これがいわゆる生体認証情報というもので、正しいパスポートの持ち主であるかどうかを認証し、正確に本人確認をするための技術です。

電子パスポートの国際標準策定は、国連の専門機関であるＩＣＡＯ（International Civil Aviation Organization＝国際民間航空機関）が担当しています。ＩＣＡＯは、国際民間航空に関する原則と技術を開発・制定し、その健全な発達を目的として設立されました。国際航空運送業務に関連した多くの国際標準や勧告を作成しており、その中の文書のひとつに、パスポートや査証について規定する国際標準があります。

パスポートの偽造防止技術が進むにつれ、正規のパスポートを不正利用して出入国しようとする事案が増えた時期がありました。その対策をどう取るべきか議論を重ねた結果、生体認証による本人認証技術が一番有効であるとの合意に至ったのです。そんな中、米国同時多発テロが発生。体制整備が急がれ、パスポートにＩＣチップを採用し、国際的に標準化された顔画像を生体情報として記録すること、同じく国際的に標準化された指紋画像や虹彩《こうさい》（瞳孔の周りの色のついた部分）画像を、第二の生体情報として追加的に記録することなどが決議されました。

ＩＣＡＯはパスポートに生体認証を導入するにあたり、多くの専門家の協力が必要と判断し、ＩＳＯと連携を締結しました。その結果、パスポートで必須とされる生体認証情報はＩＳＯが定めた基準に従うことになったのです。これは、同時多発テロを受けた米国からの強い要望により始まった動きであるため、どうしても米国の意見や提案が色濃く採用されてしまい、日本はほぼ出る幕がなかったといえます。

しかし、実際は日本の生体認証システムは世界でもトップレベルを誇り、多くの企業が顔認証技術の研究開発を進めています。中でもＮＥＣの顔認証技術は、過去に何度もＮＩＳＴ（National Institute of Standards and Technology＝米国国立標準技術研究所）の技術テストにおいて第1位を獲得しています。特に、2019年のテストでは、1200万人分の静止画で認証エラー率が0・5％と、他社を大きく引き離して第1位の性能評価を獲得するなど、他社とは一線を画す技術を誇っています（ＮＥＣホームページ「ＮＥＣ、米国国立機関による顔認証の精度評価で第1位を獲得」より）。

米国政府は同時多発テロ以降、国を守るために生体認証の技術評価及び調達等に必要な標準化を行うようＮＩＳＴに命じています。これを受けＮＩＳＴでは、指紋や虹彩のほかに、顔の認証精度を評価する第三者ベンチマークテストを度々実施しており、その報告書にはＮＥＣの技術がトップであると明記されているのです。

同社のエンジンは、すでに米テキサス州の市警の捜査システムなど約70カ国・地域に１０００以上を納入した実績があり、その利用範囲は空港での出入国管理だけにとどまらず、犯罪検挙・防犯・コンサート会場での入場管理など、様々な分野に広がっています。さらに、今後は店舗での決済、バス・鉄道等の交通機関や空港・市役所・病院などの公的施設でのサービス利用、子供やお年寄りの見守りなどにまで適用範囲が広がる予定です。ＮＩＳＴの技術テストで何度も好成績を収めたＮＥＣ。世界的に権威のある組織から客観的な評価を得るということが、海外の企業から熱視線を送られることにつながるという良い事例ではないでしょうか。世界中の空港で、ＮＥＣの技術が活躍する日もそう遠くはないかもしれません。

アイデア・技術を知財化して新市場を創造

あるベンチャー企業は、「接着剤を使わずに金属と樹脂を接着する技術」を持っていました。その技術は、決して他社には真似のできない高度な技術であるため、かえって技術の高さを客観的に評価することができず、どのような戦略でビジネス展開をしていけばよいか、決めあぐねていました。

そこで、協力を仰いだのが国立研究開発法人産業技術総合研究所です。産業技術総合研究所は、我が国最大級の公的研究機関として、日本の産業や社会に役立つ技術の創出とその実用化や革新的な技術シーズを事業化につなげるための「橋渡し」機能に注力しています。

結果としてその企業は、社内に秘匿するノウハウ（クローズド）と、公開して特許化するノウハウ（オープン）とを組み合わせて、その性能試験方法を国際標準化したのです。具体的には、接着させる独自のノウハウの一部を公開して特許を出願し、自社で編み出した「剥《は》がれない強度の試験方法」をわずか3年で国際標準化させました。

試験方法が国際標準化されたことにより、剥がれない強度とそれを裏づける技術力の高さを客観的に評価できるようになりました。そして、国内はもちろん海外にもアピールしやすくなったのです。また、最終的にこの国際標準化が大手自動車メーカーからの信頼を後押しする形となり、販路の拡大につながっていきました。

この企業が成功した決め手は、特許と標準化をうまく組み合わせたことにあります。さらに、高い技術を利用するために、結果として特許や秘匿されたノウハウが必要となる、という新しいビジネスの形態を成立させたのです。

確かに、「接着剤を使わずに金属と樹脂を接着する技術」は素晴らしいものであり、ノウハウは唯一無二です。

しかし、企業としてビジネスをうまく展開することができた理由は、試験方法を国際標準化させることで強度をアピールしながらも、接合方法を秘匿化しつつ、接着方法を「接着剤を使わない」という幅広い条件としたことによって、日本企業だけではなく、多様な接合方法を有する多くの企業が利用することができたことにあります。さらに、ＩＳＯに基づいた試験を行った結果、日本企業が有利になったことも大きな要因のひとつです。

つまり、**標準化そのもので利益を得るのではなく、標準化をフックに特許や秘匿したノウハウで利益を得た**ということになります。

「標準化」とは、すべてをオープンにし、すべてを統一するものだけではありません。前述の例のように、**オープンとクローズドを使い分けて、クローズド部分を残**

したままオープン部分を国際標準化することもできるのです。

もちろん、技術を標準化させることは、独自の技術を他者にばら撒き自社の利益を損なう可能性もあります。方法を間違えれば、得られたはずの利益が無駄になってしまうケースもあるでしょう。

しかし、根幹の部分だけを**統一させて、多様性を活かせる部分を残したり、「標準化」の枠組みをうまく活用して特許で利益を得たりと、戦略次第で自社のビジネスを大きく発展させていくことが可能**となるのです。

始めにすべきは知的財産の国際標準化

前項の例のように、知財を最初に国際標準化できれば、新市場のマーケット・クリエイターになることが可能となります。しかし、どんなに独創的なプロダクト（モジュール・完成品・サービスなど）を開発しても、特許を取っただけでは新市場を創造することはできません。特許は独自性を証するものですが、汎用性は別です。知財に汎用性を持たせて標準化して仲間を集め、バリュー・チェーン（価値連鎖）全体を活性化することで初めて、新市場でトップの座を獲得することができるのです。

知財の国際標準化によって新市場をどのように創造していくのか。そのためには、国際標準化を前提に、そのプロダクト自体だけではなく、バリュー・チェーンの下流にあたる企業などのプロダクトについても知財化を行うことが大切です。

戦略的に知財の一部をオープンにすることで、他事業者の新規参入が促進され、上流に向けて売上げが環流し始めます。さらに、オープンにする知財を信頼できる一定の事業者に限定すれば、プロダクトの品質保証も可能になるのです。

1994年にデンソー（現デンソーウェーブ）が開発した「QRコード」は、もともと製造工場の作業指示や部品管理のために開発されました。その後、ネットワーク効果もあって世界に広く普及し、今や「QR決済」は主要な電子決済のツールになっています。

デンソーは当時、QRコードの仕様を無償で公開して規格化、生成装置の特許も開放して普及（オープン）させました。その一方で、読み取りシステムを有償（クローズド）にしました。

なぜならば、特許権は独占権なのですべてをクローズドにしてしまうと、当然ながら市場は広がっていきません。とはいえ、全部の特許を開放すればただのボランティアになってしまいます。しかし、知財の「一部」をオープンにすれば、仲間やユーザーを増やし、新たなマーケットを創設することが可能となります。

ただし、特許権そのものは出願から20年で切れてしまいます。そうなると20年で読み取りシステムからの利益が縮小してしまいます。そこで考えたのが、「ＱＲコード」という商標をコントロールすることで、プロダクトの品質と利益を守っていくことでした。

特許権（基本技術）と違って商標権（ブランド）は永久権であり、エルメスやシャネルのブランドと同じように知的財産権なので、使用料を取ることが可能です。つまり、ＱＲコードは**知財を活用することで、テクノロジーの価値をブランドの価値に昇華**させたのです。

このように**知財をうまく活用して、新しい技術やサービスなどの特許を一部開放して標準化することで、同業他社を引き付けて普及促進を図り、マーケット・クリエイターになることができます。**

ＱＲコードは、そのようにして市場を大きくしながら、２０００年にＩＳＯ／ＩＥＣ１８００４を獲得し、国際標準化も果たしています。業界の中で合意を形成しながら、新市場を創造するための新規格の内容を設計し、最終的には国際標準にしていくことも欠かせません。そして、特許などの知財を活用することで、自社プロダクトを中心としたバリュー・チェーン全体を活性化し、ルールメーカーとして新市場を創造していくのです。

思わぬ「好」副作用をもたらした世界遺産ビジネス

「次の旅行はどこに行こうかな」と考える際、海や山などのリゾートを思い浮かべる方も多いかもしれません。しかし、同じぐらい人気があるのは世界遺産なのではないでしょうか。

世界遺産は1972年、世界の文化遺産及び自然遺産の保護に関する条約（世界遺産条約）がユネスコ（UNESCO＝国際連合教育科学文化機関）の総会で採択されました。人類が後世に残すべき貴重な史跡・景観・自然などを保護・保存しようという目的で誕生した条約でしたが、その背景には、1960年代の世界的な経済成長と人口増で開発が進み、文化財や自然環境が破壊され、失われる危機にさらされているという深刻な事態があったのです。

２０１９年までの世界遺産国別登録数ランキングにおいて、日本は23件で12位にとどまっており、１位イタリアの55件、同じく１位中国の55件、３位スペインの48件に比べると半数以下と、登録件数が非常に少なくなっています。

なぜなのでしょうか。実は、日本で世界遺産条約が批准されたのは、条約が採択されてから20年も経過した１９９２年のことだったのです。これは、先進国の中で最も遅く、日本は完全に出遅れた形になっていました。この条約を批准しなければ自国の世界遺産候補をユネスコに推薦する権利がないため、イタリアや中国が先を行く中、日本は20年もの間に１件も世界遺産を登録できない事態に陥っていたのです。


では、どうして20年も後れを取ってしまったのでしょうか。１９７２年の世界遺産条約採択の時点で、日本も賛成・調印しています。しかし、国内の関連法令を改正し、国会の承認をもって条約を批准しなければ加盟とはなりません。
日本ではこの国内手続きが複雑で、非常に手間取ってしまったのです。まず、条約を正確に翻訳し、専門家による審査を実施しなくてはなりませんでした。それから国会での審議となりますが、会期も限られており、国会内で決めるべき事項も世界遺産条約の件だけではありません。他にも優先度が高い案件が多くあるため、どうしても後回しにされてしまっていたというのが実情です。

こういった日本の行政上の問題はあるものの、20年間も世界遺産条約が放置されていた原因は、当事者が「この条約の優先度の高さにまったく気がついていなかった」と考えざるを得ません。世界遺産の重要性が認識されていれば、後回しにされることはなかったはずです。しかも、日本が他国から出遅れたこの20年間は、現在と比べて世界遺産への登録手続きが簡単でした。90年代までは、ひとつの国が同じ年に何度でも推薦することができ、数に制限がなかったのです。

その後は制限が厳しくなっていきます。これまで、世界遺産委員会における年間審議件数の上限は45件でしたが、２０２０年から35件に縮小されました。そして、各国の推薦枠は文化遺産・自然遺産それぞれに年間1件と縮小してしまい、日本が今からイタリアや中国に登録件数で追いつくのは困難になってしまったことになります。

イタリアや中国の状況を見ると、いち早く動くことのアドバンテージをひしひしと感じるのではないでしょうか。どのような分野にも言えることですが、すでに競争が激しくなってしまってから参入しても成果を挙げることは難しく、注目が集まるようになってから動くのでは遅いのです。日本にも、何が重要なのかを見極め、それにいち早く取り組み、日本をアピールしていくこと、そんな姿勢が必要なのだと思います。

人類共通の遺産を後世まで保護することを念頭に誕生した世界遺産条約ですが、実際に世界遺産の登録が進んで件数が増えてくると、制度を作った専門家さえも想定していなかった意外な展開が待っていました。

世界遺産登録地が報道され知名度が上がったことにより、観光地として価値が高まり、訪れる観光客が増えていったのです。

世界遺産を訪れる観光客は、様々な交通機関を利用してやって来て、ホテルに宿泊し、レストランで食事をして、おみやげを買っていくという行動を取るため、世界遺産周辺地に経済効果を生み出していきました。さらに、旅行会社がツアーを組んだり、ガイドブックに紹介されたりするようになると世界遺産はブランド化し、人気の観光地に進化していったのです。

経済効果があって地域も活性化するならば、ぜひ世界遺産を増やしたいと次第に多くの国が考えるようになり、各国の登録競争が過熱していきました。

このような実際に目に見える効果が現れるまでは、どの国も世界遺産がビジネスに使えるということに気がついていなかったのではないかと思います。もしかすると、観光産業はこれを商機とみて、いち早く動いていたかもしれませんが、イタリアや中国は歴史的建造物が多く、単に国内手続きも登録の手続きも簡単だったからやっておいた、という程度のノリだったのではないでしょうか。

ここでも言えるのは、日本のトップは自覚なく物事を進めがちであるということです。鉄道車両やシャインマスカットも、初めから海外展開を考えていたらどうなっていたでしょうか。世界遺産条約も世界に先駆けて動いていたら、何が待っていたでしょうか。日本にもたらす利益が大きく違ってくることはもちろん、それがもたらす意外な「好」副作用もあったかもしれません。

第2章にて、日本の伝統文化についてお話をしてきました。和食がユネスコの無形文化遺産に登録されたことはご存じだと思います。これで名実とも和食は世界に認められた、立派な文化財であるということができますが、実は、和食は日本の文化財保護法では指定されていません。同じ無形文化財でも「日本と海外の価値基準が異なる」ということになります。

この価値基準のギャップはどのように埋めていけばいいでしょうか。柔道のルールを思い出してみてください。価値基準が異なるのならば、世界に合わせたものを作ればいいのです。

柔道に国際ルールがあるように、日本の伝統を残しながらグローバルに対応できるよう、2つの異なる基準を作っていくという方法を取ることができます。国内で文化財保護を考えるときは今までの伝統的基準を用い、世界に展開することを考えるときにはグローバルな基準を用いるのです。

世界遺産の登録や海外への展開を考えると、日本的な考えを無視してでもグローバルな基準を提示していくのがセオリーです。しかし、消去法的にグローバルな基準を用いるのではなく、積極的にグローバルな基準を作っていくのも悪い選択ではないと思います。世界遺産に登録することも、日本製品を世界に展開することも、日本だけのためではなく世界のためになるからです。

ルールはひとつしか作ってはいけない、というわけではありません。必要ならば、2つでも3つでも作っていいのです。

2021年2月に日本政府は、無形文化財と無形民俗文化財の登録制度を新たに設ける文化財保護法改正案を閣議決定しました。重要無形文化財に指定されていない無形文化財のうち、保存と活用のための措置が特に必要なものを登録する方向で、書道や茶道、華道のほか、食文化や地域の祭り、日本酒の醸造技術といったものまでが対象となり、登録を検討しているということです。

将来的に、ユネスコの無形文化遺産への提案も視野に入れており、日本の「無形資産」に対して新たな展開が起きています。

日本の無形資産を、日本人のためだけではなく世界中の人たちのために保護し、後世に残していくことは、日本の責任においてやっていくべき義務です。そのことに気がつき始めた日本文化に、どんな未来が待っているのでしょうか。

協会ビジネスはルール作りの天才

ルール作りをうまく利用してマネタイズしている例として、「協会ビジネス」が挙げられます。協会ビジネスとは、自分が生み出したメソッドやコンテンツを販売してくれる講師やコンサルタントを養成し、その講師の活躍をサポートすることでビジネスを拡大していくビジネスです。

第2章で剣道や柔道、茶道の話をしましたが、元をたどれば協会ビジネスというのは、剣道や空手、柔道などの段級審査から来ています。昇段したければ、お金を払って試験を受けて審査をしてもらう。段が上がるほど値段が高く、敷居も高くなります。

生け花やお茶、書道もまったく同じです。勝手に仕組みを作って勝手に儲ける。それが家元制度や協会ビジネスというものなのです。こういったものは、試験を受けてくれる人がいれば続いていきます。


規模は違えど、様々な協会ビジネスが繁栄していますが、その中でも知名度も高まり、活躍している人も多いのが「野菜ソムリエ」ではないでしょうか。

野菜ソムリエというのは、「野菜」と「ソムリエ」が合わさった造語で、レストランで客のためにワインを選ぶ「ソムリエ」という言葉が発展して、何かの「評論家」のような意味合いに変化した結果、他の言葉と結びつくことで何かの目利きのような使い方をされるようになったものです。

実際に「野菜ソムリエ」とは、野菜や果物の目利きはもちろん、栄養や素材に合わせた調理法などの知識を生活に活かしたり、食にかかわる仕事を展開して活かすことができる資格です。そのヘルシーなイメージもあってか、美意識の高い有名モデルがこの資格を取得したことが報じられ、イメージも相まって認知度も人気度も飛躍的に向上していきました。

この野菜ソムリエは、２００１年に発足した一般社団法人日本野菜ソムリエ協会が認定する民間資格です。商標登録されているため、協会が実施している検定試験に合格しなければ野菜ソムリエを名乗ることはできません。

しかも、検定試験を受けるには、日本野菜ソムリエ協会が開催する野菜ソムリエコースを受講しなくてはならず、それからようやく修了試験を受けることができるようになります。晴れて合格することでようやく資格認定される、という流れになっています。

このシステムのポイントは、試験を受けるための講座も協会側が開催したものでなくてはならず、そこでマネタイズできる点です。さらに、合格し見事野菜ソムリエになった暁《あかつき》には、資格維持のため年会費が発生する点です。そして、会員の知識を深めるための有料講座が開催されている点があります。

野菜ソムリエという価値ある枠を作り、ルールを制定し審査をする。そして、知識を深める場を与える。さらに、ルールを作る者、審査をする者、知識を深めるために必要な講師、これらを協会側で用意することにより、どんどんマネタイズしていく。こういった循環を日本のものづくり全体にも活かしていくべきなのです。

第5章

無形資産こそ財産
ルールを作って稼いでいく力をつける

資源のない国日本、無形資産を輸出せよ

これまで述べてきたように、島国の日本では通信や鉄道、電力をはじめとした技術を、国際ビジネス展開する必要性が認識されていません。環境も時代も大きく変化しているのにもかかわらず、組織もその組織で働く人の意識と行動が変化しておらず、国内市場がガラパゴス化してしまっているのです。

日本は資源が乏しい国で、他国から資源を輸入しています。しかし、輸入に依存した体質のままでは、日本側は支払うのみで、マネタイズの観点からは何も得ることができていません。資源が少なくて、輸出できるものが少ないのだから仕方がな

い、という声も聞こえてくるかもしれませんが、諦める前にもう少し考えてみてほしいのです。

輸出できるものは、資源や製品などの有形のものだけではありません。これまで見てきたように柔道や剣道、茶道などの日本文化、イチゴやシャインマスカットなどの農作物を作る技術。これらのいわば「無形」のものを活用していく、ということを考えていかなければ、日本は縮小の一方となってしまいます。

日本経済活性化のカギとなるのは、技術や文化などの「無形資産」です。しかも、ただ技術を売ればいいというのではなく、技術をうまく使うことが求められます。つまり、技術を国際標準にして縛って、普及させる。それが今の日本が積極的に進めていくべき戦略なのです。

標準化そのもので利益を得るのではなく、標準化をフックとして特許や秘匿したノウハウで利益を得ることを考えていくことが肝心で、標準と知財は車の両輪のごとく、2つともうまく回していく必要があります。

技術大国日本の国際ビジネスにとって、標準は市場シェア獲得の源泉であり、知財は利益獲得の源流です。国際標準の獲得のためには、核である高度技術がしっかりしていることはもちろんのこと、英語を駆使した交渉力と駆け引きも必要であり、国際標準化の基礎知識も必要となります。

標準と知財は、技術大国日本が国際ビジネスで勝っていくために、事業戦略に組み込むべき重要なビジネスツールなのです。

市場のシェアを握るためには日本主導のルール作りが必須

標準開発も知財形成のどちらの仕事もルールビジネスです。

ルールメイキングの際に、頭に入れておかなくてはならないのは、ルールというのは社内のルールと対外的なルールの2通りがあるということです。業界ですでに浸透している国際規格も、元をたどればどこかの企業の社内ルールであるといえます（図5－1）。

同じ企業文化の中だけで作られ、外との関係がまったく考慮されていないルールでは、世間に受け入れられるわけがありません。外の人間にもきちんと理解できるようなルールを作り、丁寧に説明にする、そういったことから始めないと、日本主導のルール作りは至難の業です。

すでに話したように、日本は国内しか見ていませんが、欧米は自分たちのルールを作るときに、必ず国外にも通用するような形で作ります。同じような認識や経験を共有した人たちの間では、ルール作りは簡単ですが、価値観や生まれも育ちも違う人たちにも理解されるようルールメイキングをするときは、「自分たち以外の人に、このルールが通用するのか？」ということを念頭に置かないと世界から取り残されてしまいます。

そして、国際標準化の場で活躍するに

図5-1　規格の階層（例）

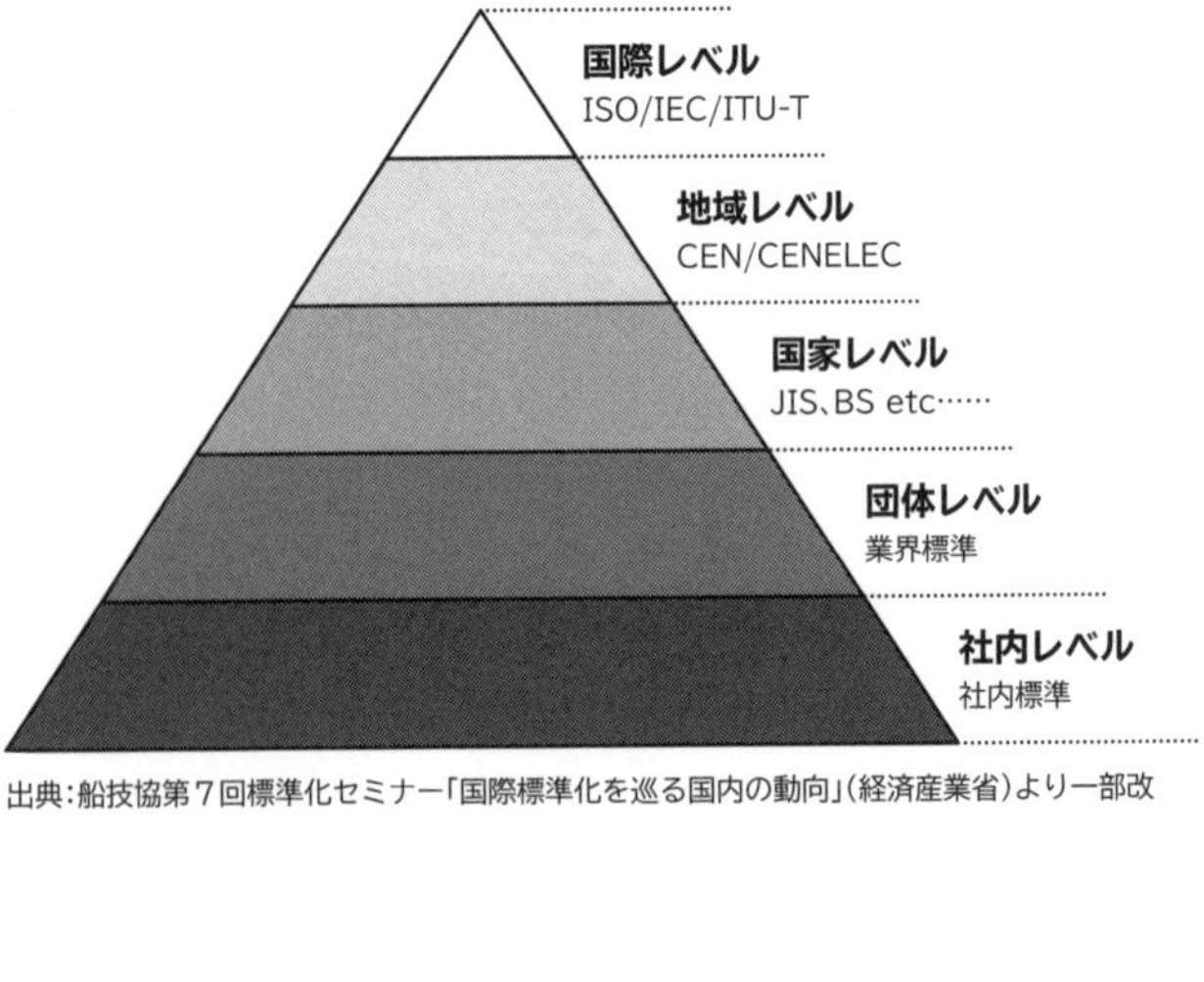

出典：船技協第７回標準化セミナー「国際標準化を巡る国内の動向」（経済産業省）より一部改

は、技術の専門知識に加え、英語力、政治力、国際マナーなどの基礎技能が求められることに加え、定めた標準を国内や業界の標準として採用させる活動や、関連ビジネスを推進してくれる団体を立ち上げる活動も必要になってきます。

さらに、国際標準化の世界にどんな人が集まり、どんなプロセスで標準が決まり、どんなビジネス効果があるのかも知らなければなりません。そのため、自社が望む標準を国際標準化機関で作成するだけでは十分な措置とは言えないのです。

こういったことをスムーズに行うためには、**経営者の国際標準に関する認識**が深くかかわってきます。企業戦略において、国際標準の重要性を認識しない経営者は、標準化と聞けば品質管理のような補助的な業務だという観念を持っているため、優秀な人材を国際標準化業務に投入することはまったく頭にないはずです。

しかし、海外の経営者は標準をビジネス拡大の重要なツールとして捉えているため、優秀な人材を起用します。そうなると、両極端に属する人が会議の場に出てくることになるため、ほとんど話がかみ合わず、国際標準の重要性に関する相互理解が絶望的になってしまうのです。

残念ながら**日本には標準を決めようとする者が少なく、決まった標準に従おうとする者は多く存在します。**

経営戦略やビジョン、ポリシーなどは経営者がしっかりと自分で決めなくてはなりません。しかし、多くの経営者というのは自分のミッションがよくわからないため、既存のものを真似ることで済ませようとします。ただ、当初から物真似をする会社がオリジナリティを出して標準化し、知財を活かして利益化できるか？といったら、できるわけがないのです。欧米の経営者は社長業というのが本来どのようなものかということを理解し、トップダウンで業務を遂行しています。それがあるべき姿なのではないでしょうか。

そもそも欧米の人たちは、本能的かつ戦略的にルールを掴《つか》んできます。欧州には、バラバラだった国同士が欧州連合により加盟国が一体となって、政治経済を動かすことになった歴史があります。統合する前は、日本の各省庁の縦割りと一緒で、持っているルールがそれぞれにありましたが、まずはそういったルールを合わせることから始めました。

しかし、議論は10年、20年と続きます。すでに欧州では、政府は規制するもので、合わせるのは民間の仕事という役割分担が確立されていたので、各国が合意するのは無理だという結論に至り、essential requirements、つまり必要最低限の規制のみが実行されることとなりました。彼らはそういった苦労を経て、国際ルールの重要性に関して身をもって知ったのです。

それまで、国際標準化にまったく参加しておらず、重要視していなかった米国も市場全体の流れを見て方向転換します。その動きについていくことができなかった日本が置いてけぼりをくらった影響が、今でも根強く残っているというわけです。

ルールを提案しても、判定する審判が存在しない日本

日本のレストランがミシュランの星を獲得したともなれば、ニュースで報道されるなどの盛り上がりを見せ、そのお店は瞬く間に知れ渡り人気が出ます。その現象が起こるのも、ミシュランの評価方法に信頼性があるからであり、権威ある評価組織であることが世間に知られているからです。

ミシュランの評価というのも結局はルールがあり、普及しなければ意味がありません。自らルールを作って普及する、それはとても大切なことですが、もっと言うならば、ミシュランがやっているのはレストランを判定する人材もきちんと育てているということです。

ある人が「頭がいい」という評判がある場合でも、それだけでは具体性に欠けます。偏差値70はあるとか、東大卒であるとか、MENSA《メンサ》（1946年に英国で創設された全人口の上位2％のIQを持つ人が会員になれる国際的グループ）の会員であるとか、何か具体的な判定基準があり、世間に広まっており、かつ認証してくれる人がいて、初めて実用性が出てくるものなのです。

すでにお話ししているように、日本にはルールメイキングを積極的に行う人がいないだけではなく、判定する人も少ないのが現状です。その原因として、認証機関側の明らかなPR不足と人材不足が挙げられます。

例えば、電気分野を得意とする認証機関に従事している人というのは、総合電機メーカーをはじめとした民間企業から出向したり兼務をしていたりする場合が多く、新卒で入ってくる人材はわずかであるというのが現状です。働き手の少なさや組織の構造の問題もあり、ルールを判定する人もおのずと少なくなってきてしまっています。

国際標準化を達成するには、優れた技術力を持つことはもちろん必要ですが、優れた政治力や交渉力も求められます。海外を相手にした国際会議の場での議論や交渉など、国際的なビジネスセンスが求められます。面白く、やりがいのある仕事であるにもかかわらず、従事している人の数は非常に少なく、重点を置くべき国際ビジネスとして捉えている人の数はさらに減少するのが現状です。

そんな現状を打破するためには、目の前の人材育成に力を入れるということも大切ですが、先に将来像を見せておくということも非常に有効です。将来像というのは、日本の高度な技術を標準化する、その審査はやはり、「高度な技術をしっかりと理解している日本人にしか審査はできないよね」という流れを作り出して、その姿を世間に見せていくということに尽きます。

こうした動きは必ず世間に認知され、その重要性とともに「そういった審判が存在するのだ」というPRになります。そのPRが国際ビジネス展開を促進し、ルールメイキングや審判を担う日本の従事者が増えることにつながってくるのです。

自らの価値を知り、ビジネスにつなげた者が生き残る

どのような会社でも、自分たちが気づいていない価値があります。そして、標準や知財というフィルターを通してみると、技術や戦略として正しく評価できることも多くあります。その価値を知ろうともせず、良い技術なら海外で認められる、良い製品なら海外で売れる、そう考えているようでは、農作物を海外に奪われたときのように、いいように技術を盗まれて泣き寝入りをすることになります。

しかし、標準化を進め特許を取るだけでは、価値を出し、利益化するのは困難です。現在の特許件数・出願件数は中国が第1位ですが、それがそのまま、技術戦略を表しているかというと、決してそうではないのは明らかです。

件数が多ければよいというわけではなく、**根幹となる特許に注力し、その特許を持っていることを正しく広めなければ、何の武器にもなりません**。例えば、入社試験のとき、欠点は隠すべきだけれど、長所はどんどん開示してアピールすべきであるのはおわかりいただけるでしょう。英語ができる、こんな資格を持っている。そんな長所は自分が知っているだけでは何にも役に立ちません。

特許を取ってどういった戦略を取るかについては、色々な考え方があります。一般的なのは、誰かに使ってもらって収入をもらうというビジネスですが、自社の技術の価値を高めるために、特許を周知して製品を差別化するのもひとつの手です。経営者の頭の中やその製品の性質によってその使い方は変わってきます。

イメージとしては、事業がトンネルを掘ることで、特許というのはそのトンネルの壁を固めることであると言えます。崩れやすい箇所の壁に固める作業をしなかったら、トンネルを掘り続けることはできません。そういった、柔らかくて掘り進めるのが難しいところは、シールド工法でまず壁から作る作業を進めます。ソフトウェアなどはまさに壁から作る作業が必要で、自分がやりたいことを固めてから、中を掘っていくという方法を使うのが正攻法です。逆に、場所によっては岩盤が固いため壁を固める作業が必要ないところもあります。そういったところは、特許で守らなくてもよいということなのです。

トンネルを掘る作業において標準というのは、掘ったトンネルの道を舗装する作業です。舗装しなければ通りにくく不便だけれども、自分だけが通りやすくなるわけです。しかしながら、舗装してしまえば自分も通りやすくなるけれども、ライバル会社も通れるようになってしまうということになります。したがって、トンネルの向こう側にあるのが何なのかということを見極めるべきで、そこが、例えば桃源郷のように滅多に行かないけれども、とても貴重なものがあるというときは、自分たちだけがその場所を知っていればよいので舗装する必要はありません。しかし、誰でも行ける場所で、誰もが行きたいような場所に対して通行料を取るという話になったら、今度は舗装しなくてはなりません。どういったビジネスを展開していくのかによって、取るべきアクションが違ってくるのです。

もしそのような「誰もが行きたくなるような場所」ができたとしても、そのことを知らなければ誰も行きません。それを知らせるためのツールのひとつが、国際標準化というルールの中に入れ込むことなのです。なぜならば、特許とは特許発明を排他的に独占する権利なので、自社の利益は一時的に広がるかもしれません。しかし、結局は自社だけで市場は広がっていかないのです。だからといって、「この特許を使ってください」と差し出すのは何の意味もないので、標準という器に乗せて特許で広めていくという知財戦略と、標準化戦略を一体化させる作業が必要となります。

ただ、**標準化も特許も諸刃《もろは》の剣《つるぎ》で、同じ市場でのライバルが増加してコスト競争に陥る危険と隣り合わせです。ビジネスを忘れて標準化を先行させてはいけませんし、標準化するべき部分とするべきでない部分の切り分けも非常に重要**です。

事業戦略に基づく標準化戦略というのは、標準化するのであれば、強みを活かしつつ他国に先駆けて標準化し、新市場を創設したり拡大していったりするよう積極的に標準化を提案していく動きを取らなくてはなりません。他社を圧倒する差別化要素がある部分は、標準化しないというのも戦略のひとつです。ただし、その場合は、他国から標準化提案をされないよう注意しなくてはなりません。

他国から標準化の動きがあった場合は、不利な提案がなされないようその成立を阻止する。もしくは、自分たちが先を越せる標準化を提案するよう挑んでいくべきで、**何の手も打たないという選択肢はあり得ない**のです。

国際標準化も、使われなければただの文字の羅列に過ぎません。技術立国日本のガラパゴス化を防ぎ、蘇生する切り札として、標準と知財という両方の車輪についてビジネス活用術を知り、戦略には戦略で対抗することが、日本企業の勝てるビジネスモデル構築につながるのではないでしょうか。

知財で新市場を創造するマーケット・クリエイター集団

言葉として、「知財」と「標準」が一緒になると、イメージが難しいかもしれませんので、ここでもう一度、知財と標準について整理していきたいと思います。

特許はオリジナリティがある技術を見出した人の権利を守るもので、その特許技術を用いたい人から対価をもらえることは、皆さんもご存じでしょう。特許は発明や創意工夫なのでオリジナリティだけあればよく、Aという企業が特許申請をしたとすると、誰も使ったことのない技術はそれが認められたら特許になります。

他の企業の人も使えるような、オリジナリティのある特許もあれば、防御特許といって、他の人には使わせないための特許もあります。日本では年間30万件ぐらいの特許申請があります。しかし、せっかく得た特許権は神棚に祀《まつ》られているような状態で、知っている人が限られ、せいぜい賽銭《さいせん》が入ってくる程度といった状態になっています。

一方、標準の代表的な例はＪＩＳです。第２章で出てきたＡ４などの紙の話を思い出してください。紙のサイズはＪＩＳで定められています。これは誰でも理解できて使えるものですが、標準のひとつの側面に過ぎません。本書ではこれまで、標準を「ルール」という言葉に置き換えて使ってきましたが、その中には、緩《ゆる》いルールもあれば、厳しいルールもあります。

例えば、国が制定するルールは大別すると２種類あり、これもすでに述べたとおりですが、ひとつは「規制」です。これは最低限の安全基準といったもので、守らないと罰せられます。もうひとつは、ＪＩＳのような規格です。製品などを市場に円滑に流通させるためのルールで、強制力はありません。

標準は、平均レベルのものもあれば高水準のものもあります。何度も言うように、日本の技術は世界最高水準ですので、最高水準の技術を平均レベルの基準で評価することはできません。高い技術は高い評価方法が不可欠だからです。

標準というのは、再現性がないとルール化をする意味がありません。高度でもルール化した、教科書のようなものを見れば、誰がやっても同じ結果が出ることが必須条件であるというのが、標準と特許の大きく異なる部分です。他人に使わせる使わせないは二の次なので、オリジナリティも必要な一方で、再現性や汎用性がないと役に立たないものになってしまいます。今までのＪＩＳでは１００パーセントの人が再現できないとダメですが、そうなるとどうしてもレベルが平均的になってしまいます。ビジネスで使うためには、一部の人に通用すれば十分なのです。

日本では政府がＪＩＳを定めており、ＩＳＯは国際標準化機関ですが政府が加盟しています。多くの人たちはＪＩＳやＩＳＯを天の声や神の声のように自然に作られていると思っていますが、そんなことはありません。実際に案を作っているのは、技術を持っている企業の方々です。ただ、多くの方々はその事実を知らないと思いますし、知っていても、一体どこから手をつけていいのかがわからないと思います。そこで、知財と標準のプロの力が必要になってくるのです。

先ほど、日本の多くの特許は神棚に祀られていると言いましたが、海外企業は特許を神棚に祀らずに、神社の外に出てお神輿《みこし》に乗せて色々な人に拝ませています。ここで言うお神輿が標準だと思うとわかりやすいのではないでしょうか。第4章でお話しした**QRコードの例を思い出してみてください。あれが、典型的な知的財産戦略と標準化が融合したビジネスモデル**です。

こういったケースの場合、絶対に標準化から着手してはいけません。なぜならば、特許は他に知られたらアウトですが、標準は通常運転でオープンになっていくので、標準化した瞬間に、もう特許の対象ではなくなってしまうからです。

これまでは、標準と特許は別物であるという考え方が支配的でしたが、本来、標準化というのは多種多様な目的を持ったものです。日本の場合は、ＪＩＳが戦後の日本の産業を迅速に立て直すために製品の互換性や品質の良いものを低コストで生産することを主な目的として制定されてきました。そして、製造業者の集合体である工業会がＪＩＳ原案を作ってきたという背景があります。工業会ですから、同業者全員が合意することが必要となるため、特定の事業者だけが実施可能なレベルのＪＩＳ原案を作るのが難しいのです。

最新の製品は多種多様な技術で構成されています。例えば、昔のカメラの構成要素は、フィルム・レンズ・精密装置ぐらいでしたが、最新のミラーレスカメラはまったく違います。昔はカメラ専門メーカーが数多く存在していましたが、今は大半のカメラが総合電子メーカーによって生産されています。

日本の工業会は縦割り社会なので、分野横断的な技術や多種多様な技術で構成された製品の標準化には対応できません。そうかといって、標準化は市場関係者によって作られるルールですから、メーカー1社では取り組むことができません。
これからも数多くの製品・サービスが生み出されていきます。国内だけのマーケットであれば、企業のブランド力で市場を拡大していくことができるかもしれません。しかし、マーケットに国境はありません。ありとあらゆる製品・サービスが市場に参入してきます。その中で日本の技術の素晴らしさを国際的なルール、すなわち国際標準で証明することが大切です。

市場のルールは、政府が作るものではなく市場の主役である企業の方が作ること、それが国際標準です。もちろん、ルール作りは簡単ではありません。技術・特許・標準などの一芸に秀でても作ることができません。しかし、技術や知財・標準のプロが集まったチームで取り組めば話は別です。

知財×標準のビジネスモデルを叶えるチームとは？

国際市場における標準化の位置づけは、めまぐるしく変化を遂げています。従来は、研究開発、知財、標準化、規制引用、認証が段階的に推移していましたが、近年は、研究開発、知財、標準化、規制引用、認証体制の整備が同時に進行しており、研究開発の上で、並行的に標準化を考慮する必要性と認証ビジネスの視点から標準化への関与が増大しています。

また2018年、不当競争防止法等の一部を改正する法律において、ビッグデータ等のデータの不正取得・使用等に対する差し止めの創設や、JISの対象へデータ、サービスが追加されたこと、弁理士法が改正され、データ及び標準関連業務が弁理士の標榜業務に追加されたことを受け、弁理士がその名称と責務の下で、データの利活用や企業等による規格（ＪＩＳ等）の案の作成に関して、知的財産の観点から支援する業務を行えるようになりました（２０１９年7月1日施行）。こういった動きから見えるのは、標準化を支える人材のひとつとして、「弁理士」に期待が集まっているということです。

図５－２は、標準化のプロセスを記したもので、弁理士が直接的に、または補助的に関与することを期待されている部分が記されています。期待されている部分というのは、標準化を含めたオープン・クローズド戦略構築・管理と標準化の提案等、標準化を意識した特許の取得、他社関連特許の調査などの特許関連から標準会議・コミュニティへの参加、規格提案の作成といった標準規格の策定まで含まれています。

もし、会社がすでに特許や技術上のノウハウを持っているならば、標準化を含め

図5-2　標準化のプロセス

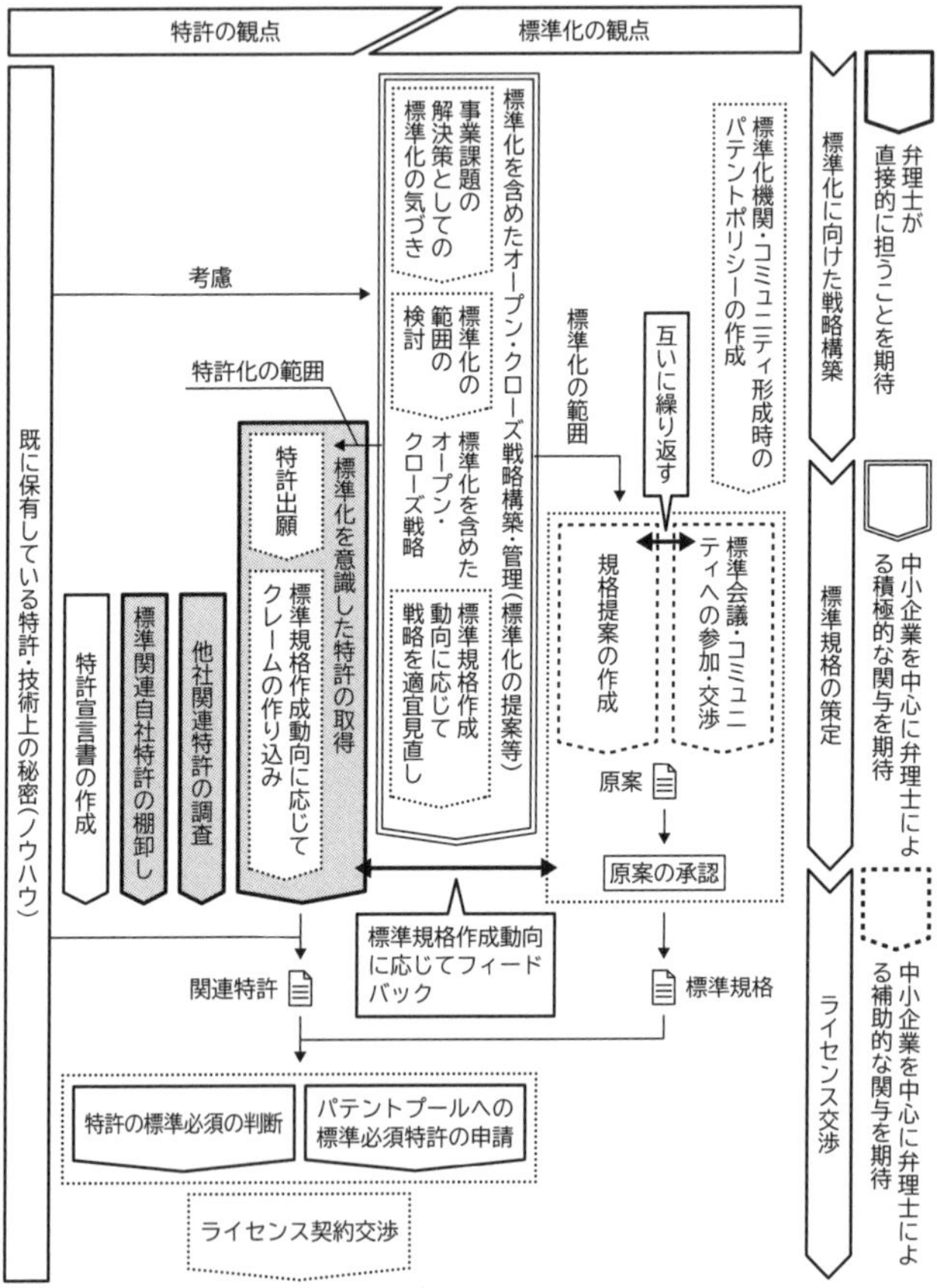

出典:「標準・データに係る業務への弁理士の関与の在り方について」特許庁(https://www.jpo.go.jp/resources/shingikai/sangyo-kouzou/shousai/benrishi_shoi/h30houkokusho.html) 2021年5月18日に利用

たオープン・クローズド戦略の支援に強い特許事務所を頼ってください。

ここで少し、私たちの話をさせてください。私たち日本知財標準事務所は、正林国際特許商標事務所グループとして設立され、現時点（2021年6月）では知財で新市場を創造する国内唯一の特許事務所で、事業開発におけるオープン・クローズド戦略のうち、オープン戦略を専門として設立された日本初の特許事務所です。

ビジネス上の課題の解決手法としての標準化の提案や、ノウハウとして秘匿しておくべき技術の切り分けなど、企業のコア技術を見極め、何を特許出願し、何を標準化するかを包括的にご提案いたします。

私たちは知財で新市場を創造する日本初の「マーケット・クリエイター」集団であり、素晴らしい技術やアイデアを知財にし、すでにある市場の価値にとどまらせることなく世界につながる新しい市場の主役にしていくべく、長年の知財経験をフル活用して、新しいマーケットを創り出しさらなる企業成長のお手伝いをさせていただいております。

知財×標準で新市場を作る手順は？

「新市場の創造」は大企業からスタートアップまで共通の至上命題です。知財を最初に国際標準化できれば新市場でトップの座を獲得することができます。

では、他社に負けない技術を持っていたり、唯一無二のノウハウを持っている場合、具体的にどのように知財化し、新市場を創造していけばよいかを考えていきます。

まず、クローズド戦略として自社プロダクトに関する技術やサービスを特許等知財化することからストーリーが始まります。

クローズド戦略で特許等知財化したものをオープン戦略で一部開放して「国際標準化」を行います。そして、国際標準化したルールをサプライヤーやベンダーに適用して「認証」を行うことで、これらの素材やパーツが組み込まれた自社プロダクトの品質を保証します。

さらに、国際標準化したルールを競合他社や自社プロダクトのユーザーにも適用して認証を行うことで、自社プロダクトが組み込まれたユーザーのプロダクトの品質を保証し、市場で優位性を発揮するようにします。

これまでの流れでは、技術やサービスを知財化し、それをクローズド戦略で守り、既存の市場でマネタイズするのみにとどまっていました。しかし、知財の一部を開放して国際標準化し、自社も含めて市場の様々なプレーヤーに適用して認証を行うことで品質を保証しつつ、自社プロダクトが属する市場自体の成長を促すことが可能なのです（図5－3）。

図5-3　知的財産の国際標準化の流れ

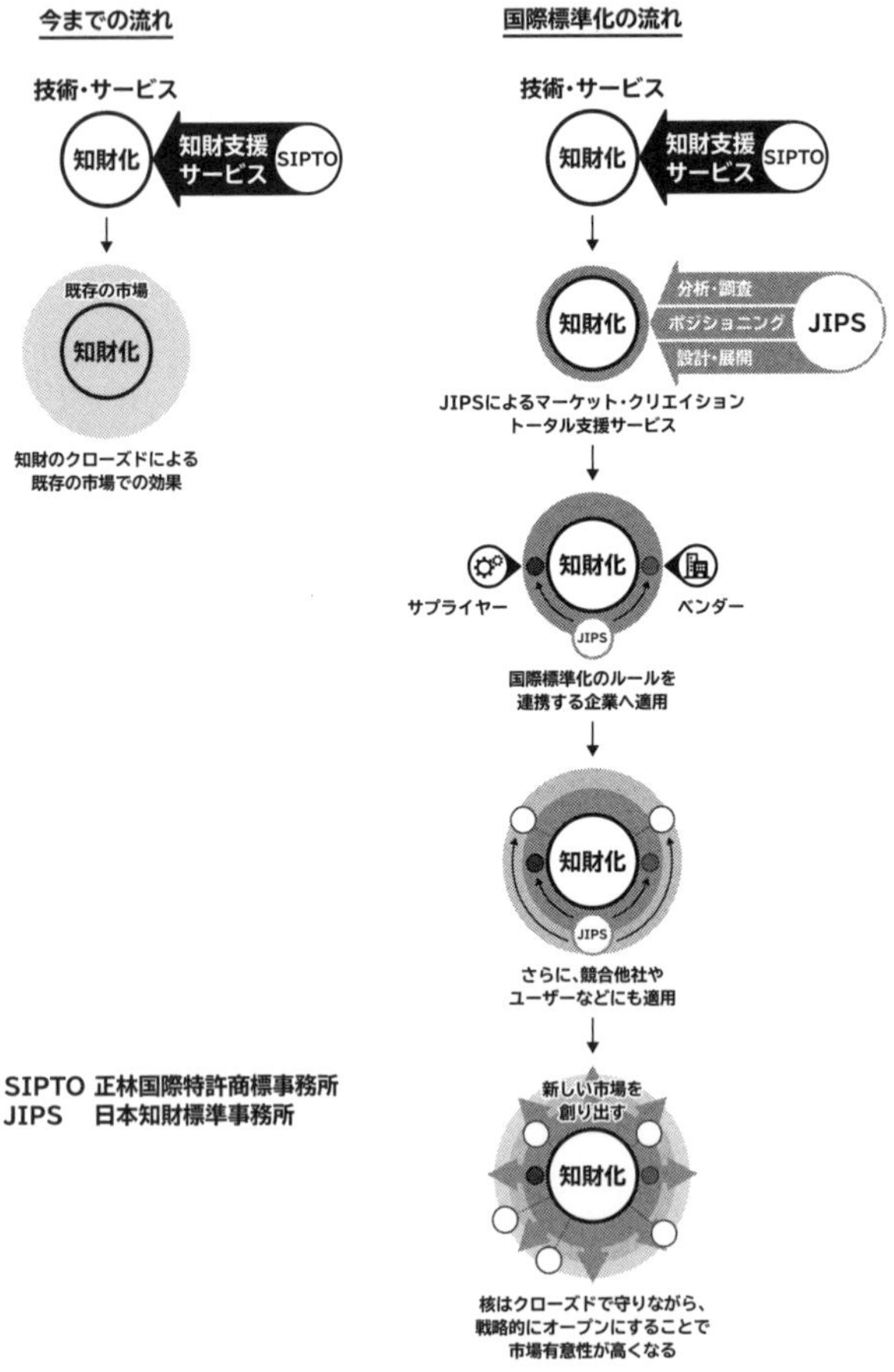
今までの流れ
技術・サービス
知財化
知財支援
サービス
SIPTO
既存の市場
知財化
知財のクローズドによる
既存の市場での効果
国際標準化の流れ
技術・サービス
知財化
知財支援
サービス
SIPTO
知財化
分析・調査
ポジショニング
設計・展開
JIPS
JIPSによるマーケット・クリエイション
トータル支援サービス
知財化
サプライヤー
ベンダー
JIPS
国際標準化のルールを
連携する企業へ適用
知財化
JIPS
さらに、競合他社や
ユーザーなどにも適用
新しい市場を
創り出す
知財化
核はクローズドで守りながら、
戦略的にオープンにすることで
市場有意性が高くなる
SIPTO　正林国際特許商標事務所
JIPS　日本知財標準事務所

出典：日本知財標準事務所ＨＰ

バリュー・チェーンで見た場合、素材、部品、完成品からサービスに至るまで、自社プロダクトが属するポジションで国際標準化を行います（図5－4）。

最初のステップはプロダクトの知財化です。次に、新市場において自社プロダクトがどのようなポジションを確保できるか戦略を立てるために、最初に既存規格の調査を行います。その結果に基づいて、自社プロダクト及びバリュー・チェーン下流の国際標準化を行います。

このように自社プロダクト及び下流の国際標準化を行い認証を行うことで、素材からユーザーに至るすべてのバリュー・チェーンのプロダクトの品質を保証し、「市場のルールメーカー」として自社プロダクトの属する市場全体の成長を促すことができ、**「知財の国際標準化＝市場のルールメーカー」**になることができるというわけです。

新市場の創造の全体像をまとめると、まずは自社プロダクトを開発、知財を取得。

図5-4　知的財産の国際標準化による新市場創造の全体像

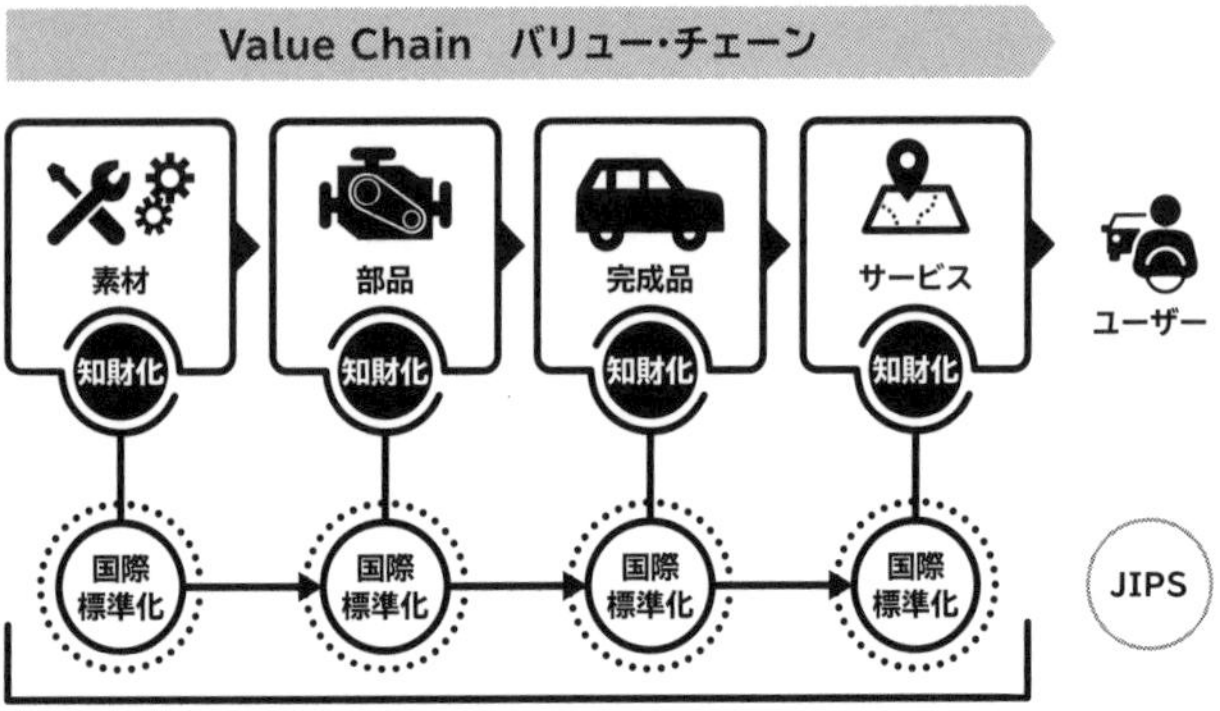

知財の国際標準化による新市場創造の全体像

1. 自社プロダクトを開発・知財を取得
2. 自社プロダクトの知財を国際標準化
3. 自社プロダクトの知財を用いるバリュー・チェーンの下流の知財を国際標準化
4. バリュー・チェーンの下流の国際標準から自社プロダクトの国際標準を参照させることで、自社プロダクトからエンドユーザーまで届く新市場を設計・創造

出典：日本知財標準事務所ＨＰ

次に自社プロダクトの知財を国際標準化。そして、自社プロダクトの知財を用いるバリュー・チェーンの下流の知財を国際標準化。さらに、バリュー・チェーンの下流の国際標準から自社プロダクトの国際標準を参照させることで、自社プロダクトからエンドユーザーまで届く新市場を設計・創造という流れになっています。

この一連の流れに関して、日本知財標準事務所では新市場創造のための包括的な戦略的コンサルティングサービスを展開しておりますので、ご紹介させてください。

まず、新市場創造のためのマーケティングと分析を行います。そして、知財の国際標準化戦略を提供し、知財の中枢を軸として関連企業も含めながらクライアントのプロダクトを新市場にポジショニングします。それから、新市場におけるクライアントのプロダクトのツボを押さえた知財を戦略的に構築。さらに、知財を使ってクライアントのプロダクト及びバリュー・チェーン下流の知財を国際標準化して新市場を設計・創造していきます。

その上で、正林国際特許商標事務所と力を合わせ、差別化できる知財活動を支援し、複数の構成要素から新市場を設計し、クライアントと一緒に施策を実行していくという流れです。具体的にどのぐらいの期間がかかるのか、どのぐらいの費用がかかるのかどのぐらいの負担があるのかという話になると、ケースバイケースですので一概には言えませんが、一般的な流れをお話ししますので参考にしてください。

新市場創造のためのサービスは、あくまで全体図の設計です。設計期間に約半年間かかりますが、実際に技術を国際標準化するという場合は、その案件にもよりますが、2~3年はかかります。そのために割いていただかなければいけない人材は、技術のエキスパートとコミュニケーションのエキスパートの2人程度ですが、それは対外的にはという意味で、実際は相当数のサポーターが必要です。

特許にする技術を持っている場合、その技術を最終的に国際標準化するまでには、自社特許を含めて標準化するのか、自社特許等の周辺インターフェイスを標準化するのか、自社特許等を含む製品の評価方法を標準化するのかを考えます（図5－5）。

実際にルール化するためには、独断ではできません。必ず市場の関係者との話し合いが必要になりますので、例えば3カ月間ぐらいで、その技術を市場関係者たちに理解してもらい、競合相手がいるのかいないのかを確認した上で、全員で合意形成します。この作業が半年から1年程度かかります。こういった設計図を提供し、市場関係者とコネクションを付けるのがこの仕事です（図5－6）。

図5-5　標準化の類型

標準化の類型	標準と特許の組み合合せ（典型例）	
タイプA 製品の仕様の標準化	自社特許を含めて標準化	標準 / 特許 / ライセンス
タイプB インターフェイス部分の仕様の標準化	自社特許等の周辺インターフェイスを標準化	標準 / 特許等 / 標準
タイプC 性能基準・評価基準の標準化	自社特許等を含む製品の評価方法を標準化	特許等 / 評価 / 標準

出典：「知的財産と標準化によるビジネス戦略」特許庁（https://www.jpo.go.jp/news/shinchaku/event/seminer/text/document/h30_jitsumusya_txt/34_pp.pdf）を加工して作成。2021年5月18日に利用

図5-6 知的財産の標準化の流れ(新市場創造型標準化制度)

○標準化官民戦略に基づき、2014(平成26)年7月、業界団体を通じたコンセンサスを求めない「新市場創造型標準化制度」を創設。

○例えば、とがった技術(先端的技術等)があるものの、①企業1社で業界内調整が困難な場合、②中堅・中小企業等で原案作成が困難な場合、③複数の産業界にまたがる場合に、従来の業界団体でのコンセンサス形成を経ずに、迅速なJIS化や国際標準提案を可能に。

○中堅・中小企業等の優れた技術・製品の標準化を2020年までに100件実現することを目指します。

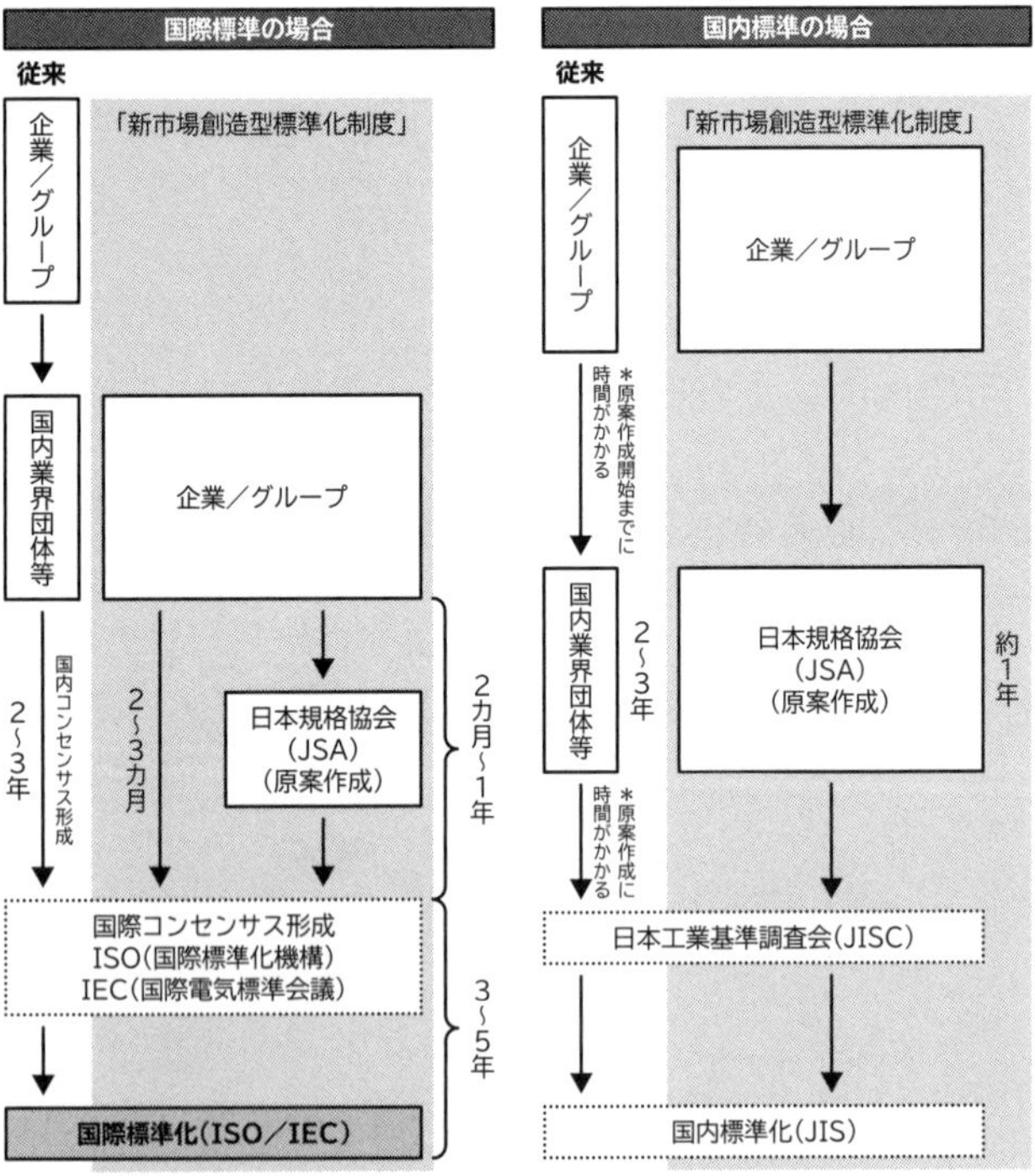

出典:「知的財産と標準化によるビジネス戦略」特許庁(https://www.jpo.go.jp/news/shinchaku/event/seminer/text/document/h30_jitsumusya_txt/34_pp.pdf)を加工して作成。2021年5月18日に利用

実際に国際標準化したら、技術者とコミュニケーション担当で、人件費だけで年間3000万円程度かかり、3年間の費用が9000万円。国際会議や旅費もあるので、社内的な費用だけでもざっと1億数千万円ほどかかることが想定されます。

大企業ならば1億円ぐらいの費用は捻出可能だと思いますが、スタートアップ企業は金融機関に説明して融資をしてもらうことが必要です。その内容を補足するために、我々がルール化するためには2人体制で3年かかります、といったフォローを提示するということも大切な仕事のひとつです。

これはあくまで入口の設計図段階なので、実際にルールメイクしてみようとなってくると、市場の関係者や同業者、ユーザーを集めて話し合いの場を作ることが必要になります。一企業だけの力ではそういった場を持つのは難しいので、我々がプラットフォームになり、お座敷を設ける役を引き受けるのです。

いきなりISOやJISを目指すのが無理なのであれば、とりあえず標準化できるかできないかを含めて、まずは、関係者の中で議論するための場として、半年ぐらいかけて話し合います。

工業会や学会が対応できる技術ならば問題ないのですが、新しい技術というのは、そもそも基礎の団体がないので困る場合が多くあります。それを我々が、そのお座敷をお膳立てさせていただくというわけです。その結果、ある程度の方向性が見えたら、そこからさらに1年ぐらいかけて、どういう戦略でいくかをレポートとして提出させていただくという流れです。

実在するメーカーの製品で説明したほうがわかりやすいと思いますので、例を挙げます。パワースーツというものをご存じでしょうか。身に着けると、重いものを持ち上げる際に補助的な役割をする着るタイプの装置です。

一言でパワースーツと言っても様々なタイプがあり、空気圧縮を利用しているものもあれば、電源を用いているものもあります。このパワースーツ、製品化の際にちょっとした問題が出てきてしまいました。何に困ったのかというと、実際にこのスーツにはどれだけの保持力があるのか、使う人の年齢や性別によって変わってきてしまうということです。例えば、パワースーツの圧力があまりにも強すぎてしまうと、若い強靭な肉体を持った人ならば対応できるところを、比較的筋力が弱い人は反動で痛めてしまう可能性が出てきてしまいます。

空気圧式の人工筋肉を搭載したこのスーツは、人工筋肉が収縮することで人工筋肉と腿《もも》フレーム上部につながったワイヤが引っ張られ、背中のフレームを起こす。その際に発生する反力を腿パッドが支える、という仕組みになっています。

中腰で重いものを運ぶといった作業の際などに、腰をサポートすることに威力を発揮しますが、腕にかかる重量は消えてなくなるわけではないことはおわかりいただけるでしょう。また、腰だけではなく腿にも人工筋肉のパッドを装着するので、本来腰にかかるはずだった力を足に逃がすことになります。そうなると、足の弱い人が装着した場合、腿を痛める可能性が高くなります。

パワースーツは色々なメーカーが作っていますが、説明が統一されていないと、購入しようと思う人が判断できません。要は、表記方法をメーカー間で統一しなければいけないのです。

例えばパソコンを買う際、メーカーのホームページなどを見るとその性能は一覧になって表示されていると思います。デスクトップ型なのかノート型なのかというところから始まって、スクリーンサイズ、プロセッサー、プロセッサーの世代、メモリーやストレージの容量、ディスプレイの解像度など細部を比べて買うかどうか判断するでしょう。こういったスペックは、統一された標準があるから消費者が欲しい機能が搭載されたパソコンを購入することができます。

ところが、このパワースーツの場合はスペックの表記が統一されていなかったため、それを標準化しなければならず、我々に役目が回ってきたというわけです。

新しい製品の場合、ユーザーはどんな層が想定されるのか未知数で、特定されていません。メーカー側も手探り状態で、同業者にもなかなか聞くことができない。そこで我々が、利害関係者全体に「スペック表記に関するルール化が必要です」ということを説明し、合意形成の場を作ります。

しかし、いきなり合意形成を取るのは無理なので、現状の問題点を挙げ、「ユーザーはこういう点で困っています」という説明をさせていただき、その場で「標準化を検討したいと思いますが、皆さんいかがでしょうか？」とお尋ねをして、オープンセッションで意見をもらい、方向性を決めていくのです。この作業が概《おおむ》ね半年間。ある程度の方向性が決まってきたら、次のステップに進みます。

実際、ユーザーや消費者団体あるいは介護施設の方にも意見を聞いて回っています。介護が必要な方というのは、体重が40キログラムほどでも、全体重を預けるので実際よりもはるかに重たく感じます。そんなとき、どんな部位に負荷がかかってくるのかということは使用する上で重要な情報です。

また、現場で働いている方の中には、パワースーツを半日または一日中着けたままで作業している場合もあります。マニュアルでは、着けたままでいいのか、あるいは半日で外すといった使用時間を明記するのか、といったことは非常に大切なことです。さらに、パワースーツを装着するにはどのぐらいの時間がかかるのか、慣れれば10秒で装着できるのか、あるいは20秒かかるのか。細かなことですが、使用感を伝えるためにはそういった情報も必要になってきます。

実際に働いている介護施設の方々に意見を聞くことで、作用反作用の関係性がわかってきます。その上で、購入の際の判断材料となる、統一した性能表示として明記すべき点をあぶり出していくのです。

ルールメイキングの際には、海外の事情を知ることも大切なことです。いざルールを作ってみたら、「海外にすでに同じものがありました」という場合も想定されます。そんなことにならないよう、海外の知財・標準事情はどうなのかということもしっかりと調査します。

特許の場合、特許庁のウェブサイトですでに特許があるかどうかを、すぐに確認することが可能です。しかし、規格の場合、海外では民間団体が中身を作っているので、著作権に関して非常に厳格になっています。

日本の場合は国が制定しているため、JISはウェブサイトで見ることができます。しかし、海外の規格はそれ自身が商品になっているので、購入しないと見ることができないのです。

そこで、我々が代表して海外の規格を調査します。規格がない場合は新しく作ればいいので、新しいルールの制定に着手し、すでに規格がある場合はそれをうまく活用するか、違った側面からルールを作っていった方がいいのかを考え、ご提案をします。

華やかさとは無縁の地道な作業が長い間続きますが、新市場の創設やルールメーカーの座に就くということは、時間をかけても取り組むべき重要事項です。長い目で見れば、あのとき苦労しておいて良かったと思う日が必ず来ると思います。

おわりに

日本のSF小説の浸透に一役買った作品に、小松左京の『日本沈没』(光文社)という小説があります。ベストセラーになり実写で映画化もされています。最近では『日本沈没2020』という形でアニメ化され、Netflixで配信されているので、ご存じの方も多いかもしれません。

1970年代の日本。無名の小島が、一夜にして海底に沈んだところから物語が始まります。地球物理学者・田所雄介博士はただちに現地調査に赴き、海底を走る奇妙な亀裂と乱泥流を発見します。

そんなとき、伊豆半島付近で地震が発生、それに誘発されて天城山が噴火したため、内閣で地震学者との懇談会を開いて意見を聞くことになります。その席に招かれた田所は、「日本が沈没してしまう」可能性を口にします。

その発言は誰からも相手にされませんでしたが、政財界の黒幕である渡老人は田所の説に興味を抱きます。その説を検証するため首相を呼びつけ、極秘裏に「D計画」を立ち上げさせる……。

物語の中では、結果的に日本列島は完全に消滅するのですが、日本人の救済措置として世界各国に受け入れを依頼し、日本人は世界に散らばっていくことになります。しかし、田所博士は日本に残ることを選択するのです。

そんな田所博士の、最後のセリフが非常に印象的でした。

「わしは日本と心中です。日本人は民族としてはまだ若い。4つの島でぬくぬくと育てられてきたまだ子供だ。外へ出ていって喧嘩をしてひどい目にあっても4つの島へ逃げ込み、母親の懐へ鼻を突っ込みさえすれば良かった。しかし、これからはその帰るべき国がなく、海千山千の世界の人間の中で生きていかなくてはならない。わしは日本人を信じています。わしは日本が好きだった。これからも日本人を信じたい」

日本人が海外に出ていって、叩かれるようなことがあったとしても、あたたかい母国に戻ればよかった。しかし、その国土がなくなろうとしている。いったいどんな心境なのでしょう……。

幸いなことに、私たちが生きている間に日本の国土が沈没することはなさそうですが、このまま海外のルールを甘受するだけでは、国土は残っても、あたたかい母国のルールが雲散霧消の憂き目に遭うような気がします。「国破れて山河在り」の牧歌的な時代とは異なるのです。

何もしなくても時は流れ、世界は変化し、ものづくりも進化します。日本人も日本に閉じこもっているだけではなく、どんどん世界に出てほしい。特に、ルールを作る立場として存在感を示してほしいと願います。やはり、日本人が一番日本人を信じており、期待しているのではないでしょうか。

2021年6月　著者

日本知財標準事務所

正林国際特許商標事務所グループとして2019年2月に設立された、現時点（2021年6月）では国内唯一の知的財産で新市場を創造する特許事務所（齋藤拓也所長）。クライアントの素晴らしい技術やアイデアを知財にし、それをツールに用いてバリューチェーンを構築することで新たな市場を創造し、クライアントを新市場の主役にすることをミッションとしている。主なサービスに、「新市場創造戦略コンサルティングサービス」「新市場創造調査サービス」「新市場創造のための知財構築サービス」「新市場創造支援サービス」などがある。

日本知財標準事務所 HP
https://www.ipstandard.jp/

ざんねんな日本のものづくり
ゼロからの知財戦略

2021年7月21日　初版発行

著　者　日本知財標準事務所
発行者　野村直克
発行所　総合法令出版株式会社
〒103-0001 東京都中央区日本橋小伝馬町15-18
EDGE小伝馬町ビル9階
電話　03-5623-5121
印刷・製本　中央精版印刷株式会社

落丁・乱丁本はお取替えいたします。

ISBN 978-4-86280-807-3
総合法令出版ホームページ　http://www.horei.com/